L'AMIE

Henry Gréville

I

« Monsieur Paul Brécart a l'honneur de vous faire part de son mariage avec mademoiselle Claire Langé.

« Saint-Martin-les-Mines, 15 juillet 1872. »

Depuis un bon moment, la feuille de papier satiné qui portait ces quatre lignes ne formait plus qu'une tache indistincte aux yeux de Camille ; la jeune fille avait entrouvert les doigts, la lettre de faire part s'était dérobée doucement en glissant sur la robe... Camille n'appartenait plus au monde présent : se reportant de plusieurs années en arrière, elle revivait les quelques semaines qui avaient suivi l'annonce de ce mariage. Larmes de toutes les nuits, désespoir muet de toutes les heures, aisance affectée de tous les jours, apparences joyeuses cachant un cœur profondément ulcéré, voilà ce que le carré de papier lithographié rappelait à Camille.

Elle méditait ainsi, la tête baissée, lorsque, la porte s'ouvrant, la lettre de faire part s'envola et glissa sur le parquet. La jeune fille la ramassa avec cet air placide et supérieur aux choses de la vie qui ne la quittait guère, et se mit en devoir de la plier avec d'autres papiers épars dans un tiroir devant elle.

– Que fais-tu donc là, Camille ? demanda la vieille dame qui venait d'entrer.

– Je range de vieux papiers, ma tante, répondit Camille.

– Dépêche-toi. Ton oncle est rentré, et il a grand-faim.

Camille fit une rosette élégante au paquet de lettres qu'elle avait reformé, ferma le tiroir, mit la clef dans son porte-monnaie, et suivit sa tante vers la salle à manger.

C'était un intérieur tel qu'on en trouve encore dans certains quartiers de Paris, dans quelques rues des Batignolles ou de l'île Saint-Louis, un de ces intérieurs où l'esprit moderne n'a pénétré par aucune fissure ; toutes les ouvertures par lesquelles il eût pu se glisser semblaient tamponnées par d'épais bourrelets de préjugés et de vieilles habitudes ; l'air de 1877 n'y était entré ni sous forme des rideaux en algérienne ou des meubles rembourrés de tampico, ni sous celle de quelque cafetière à système ou d'une lampe à essence.

La salle à manger était garnie – on n'oserait dire ornée – de meubles en acajou, style empire, recouverts de tissu de crin noir, luisant et piquant ; un épais paillasson de jonc natté s'étendait sous la table à rallonges ; des rideaux de damas de laine vert foncé protégeaient la fenêtre, défendue en outre contre le soleil par des jalousies vertes dont les planchettes retombaient les unes sur les autres avec un cliquetis effroyable chaque fois qu'on y touchait ; devant les chaises, de petits ronds de paillasson natté protégeaient les pieds contre la fraîcheur du dallage à damier noir et blanc, ou peut-être ce même damier contre les injures des souliers boueux. Enfin, tout y était encore tel qu'en 1848, lorsque le brave M. Frogé était rentré effaré en disant que les sauvages de Noukahiva avaient envahi Paris pour le saccager.

Le service de porcelaine blanche, l'argenterie arrondie par l'usage, le linge fin à liteaux bleus dataient de 1840, – aussi la cuisinière, qui avait perdu le goût, mais que ses maîtres continuaient à proclamer « un cordon bleu », malgré ses bévues de plus en plus fréquentes ; dans cette maison, tout avait vieilli peu à peu, les objets comme leurs possesseurs ; mais rien n'y était ridicule ; car la même atmosphère environnait tout d'une sorte de buée, ou plutôt d'un glacis uniforme qui harmonisait cet intérieur et n'y laissait point de disparates.

M. Frogé, assis devant le potage, la grande cuiller levée, la serviette nouée autour du cou, mesurait la soupe dans les assiettes avec la majesté d'un sacrificateur.

– Allons, petite fille, dit-il, nous sommes en retard, dépêchons-nous, ou le potage sera froid.

Camille s'assit à côté de son oncle, lui adressa un sourire en recevant son assiette, et se mit en devoir de témoigner de l'appétit. Madame Frogé prit sa place en face d'elle, et un silence béat régna dans la salle à manger.

Elle était joyeuse, cette salle à manger, en dépit du crin noir et de l'acajou ; et ce qui lui donnait de la joie, ce n'était ni la cage de chardonnerets, – encore un oiseau passé de mode ! qui de nos jours élève des chardonnerets ? – ni le bouquet de pivoines qui s'épanouissait sur l'étagère du buffet ; c'étaient le visage, les cheveux blancs et les rubans jaunes de madame Frogé.

Avait-elle été jeune, madame Frogé ? On pouvait croire que non, tant la vieillesse affable, souriante, heureuse, paraissait l'avoir élue pour son temple vivant. Sur ce visage frais et uni, sur ces joues d'un rose tendre comme les roses du Bengale, dans ces yeux bleus, vifs et clairs, on ne rêvait pas d'autre expression que celle d'un calme profond, d'une joie intérieure ; ce n'était pas de l'apaisement, c'était la paix elle-même qui régnait sur ce front poli. Elle avait peut-être été laide étant jeune : à coup sûr elle n'avait jamais été plus jolie qu'à présent, avec ses tire-bouchons d'un blanc d'argent sous les ruches de blonde de son bonnet à rubans de satin jaune.

La bonne dame agita une petite sonnette de cuivre doré semblable à celle des enfants de chœur, et la cuisinière apparut ; une bonne odeur de sole au gratin l'accompagnait, et M. Frogé cligna doucement l'œil droit à l'adresse de sa moitié rayonnante.

– Une surprise, Belle ? dit-il d'un air joyeux ; ce n'est pas vendredi, cependant, et il me semble deviner.

– Du poisson, mon ami, c'est vrai ! Que veux-tu ! J'ai fait une folie ; la marchande m'a assuré que tu serais content...

– Elle avait bien raison, l'excellente femme ! Voyons cette sole...

Il enfonça délicatement la vieille truelle à poisson dans la chair savoureuse, et retira les filets avec les précautions les plus maternelles ; quand sa femme et sa nièce eurent reçu leur part, il s'adjugea d'un air complaisant ce qui lui revenait de droit, plus une cuillerée de champignons.

– Belle ! dit-il d'un ton consterné, après avoir dégusté la première bouchée, Belle, ils ne sont pas assez cuits !

La vieille dame leva ses mains au ciel.

– Ah ! mon Dieu, dit-elle, elle ne les aura pas goûtés. Quel malheur !

Les deux époux se regardèrent d'un air désolé ; on eût dit que le doryphora venait d'envahir leurs pommes de terre. Camille haussa légèrement les épaules et croqua délibérément son dernier champignon, presque cru, comme pour affirmer sa parfaite indifférence à l'égard du repas.

– Tu as mangé cette horreur ? lui dit son oncle sur le ton du reproche.

– Eh ! mon oncle, qu'importe ! Ce n'est pas là une affaire. Crus ou cuits, c'est toujours aussi indigeste.

– Camille ne prise point les douceurs de la table, dit madame Frogé avec mansuétude ; c'est une vertu qu'elle a de plus que nous, mon ami.

– Hein ! une vertu. je n'en sais rien !... Est-ce une vertu que de ne point discerner ce que l'on mange ?

– À coup sûr, mon oncle, dit la jeune fille avec un demi-sourire, c'est un avantage, car vous éprouvez en ce moment une déception à laquelle je puis compatir, mais que je ne partage pas.

Cette phrase, tournée à la façon de celles de l'ancien professeur de belles-lettres, eut le don de l'apaiser ; il s'adressa aux filets de sole, non sans soupirer, délaissa les champignons avec les signes du plus profond regret, et le dîner s'acheva sans autre incident.

Un beau soleil sur son déclin se glissait entre les planchettes des jalousies vertes ; madame Frogé tira sur les ficelles ; la machine lourde, bruyante et incommode remonta péniblement jusqu'au haut ; Camille, qui s'était approchée pour aider sa tante à fixer la ficelle à l'appui de la fenêtre, releva la tête et reçut en plein visage le rayon d'or rouge qui effleurait les angles des maisons, les cimes des arbres, les arches des ponts, et jusqu'aux remous de la Seine qui courait rapidement le long du quai. Elle regarda cette splendeur, étouffa un soupir et se détourna.

– Tu as l'air fatigué, Camille ? lui dit sa tante avec intérêt.

– Je suis fatiguée, répondit-elle sans la regarder.

Elle prit un rouleau de chagrin posé sur un meuble, et se prépara à sortir.

– Tu vas donner une leçon ? demanda madame Frogé.

La jeune fille répondit par un signe de tête.

– N'y va pas, si tu es fatiguée, ; pour une fois, on peut bien t'excuser.

– Je n'aime pas manquer mes leçons, dit Camille en continuant ses préparatifs.

– Elle a raison, dit sentencieusement l'ancien professeur. L'exacti-tude est la politesse des rois et des artistes.

– Bonsoir, mon oncle ; bonsoir, ma tante, répondit Camille ; je ne pense pas vous retrouver debout.

– Rentres-tu si tard ?

– J'ai une séance de deux heures pour jouer à quatre mains ; je ne pense pas être de retour avant dix heures et demie.

En disant ces mots, elle ouvrit la porte.

– Bonsoir alors, dit la tante ; prends quelque chose pour te couvrir, les soirées sont fraîches.

– Eh bien ! reprit l'oncle, tu t'en vas sans nous embrasser ?

La jeune fille revint sur ses pas, présenta son front à M. Frogé et déposa un baiser sur le front de sa tante.

– Bonsoir, dit-elle sur le seuil.

– Prends garde de t'enrhumer, cria madame Frogé au moment où la porte se refermait.

Restés seuls, les deux époux s'entre-regardèrent.

– Qu'est-ce qu'elle a ? dit enfin Philémon.

Baucis soupira et ne répondit pas.

– Quelle singulière idée de donner des leçons de piano, quand nous lui avons proposé cent fois de vivre avec nous, comme nous, de notre petit bien-être ! Mais non, mademoiselle est fière et ne veut rien devoir à personne ; il lui faut gagner sa vie, donner des leçons le jour et le soir. Si je ne l'aimais pas tant, je serais joliment en colère contre elle pour cette fierté ridicule !

– Ce n'est pas seulement de la fierté, dit la vieille dame avec tristesse.

– Qu'est-ce qu'il y a encore ?

– Elle s'ennuie avec nous, mon pauvre vieux mari ! Elle s'ennuie tant que tout prétexte lui est bon pour s'envoler. Elle a raison, la chère enfant ; nous ne sommes guère amusants avec nos vieilles manies, nos vieux discours, nos vieilles figures. Elle est jeune, il lui faut de la jeunesse, ses élèves l'amusent.

L'ancien professeur allait parler, mais sans doute il pensa que, suivant l'aphorisme, le silence est d'or ; il se contenta de s'enfoncer dans son fauteuil. Le rayon rouge se retirait, et l'appartement devenait de plus en plus sombre ; les époux restèrent silencieux, presque tristes.

– Sébastien, dit la vieille dame.

– Isabelle, répondit le vieillard.

– Je pense qu'il faudrait tâcher de voir quelques amis, d'attirer un peu de jeunesse. Si Camille s'amusait, elle n'aurait pas tant d'envie d'aller ailleurs ; nous serions moins seuls, et elle serait plus gaie... Et puis, elle a vingt-cinq ans... Si on pouvait la marier !

– À qui ? grand Dieu ! Nous ne connaissons que des vieux comme nous...

– Mais ces vieux ont des enfants, comme nous avons Camille ! Ils viennent seuls parce que nous n'invitons qu'eux ; mais si l'on invitait leurs enfants, ils viendraient aussi.

– C'est probable. Mais comment faire ?

– Il faudrait faire quelques visites à nos amis et connaissances, et puis donner une petite fête.

– Un bal ! un bal dans cette maison ! s'écria Sébastien Frogé, si effaré qu'il se leva et laissa tomber son étui à lunettes.

– Pas un bal, Sébastien, pas un bal ! implora la vieille d'un ton à attendrir un roc, une petite soirée. On jouerait la bouillotte... on donnerait du thé, des petits gâteaux, comme autrefois, tu sais bien, quand tu étais au lycée Condorcet, quand nous recevions du monde...

– Cela va être bien ennuyeux ! fit observer M. Frogé.

– Pas si ennuyeux, tu verras ! Et puis enfin, Sébastien, c'est un devoir ! Puisque nous avons adopté Camille comme notre enfant, puisque nous lui laisserons notre fortune, n'est-ce pas à nous qu'il revient de la présenter dans le monde, de la marier ?

– La marier ! Eh bien, et nous, qu'est-ce que nous deviendrons ? s'écria naïvement le professeur.

– Ce que nous pourrons, mon pauvre cher vieux ! Les jeunes se marient, et les vieux restent seuls. C'est la loi commune.

– Mais ce n'est pas juste ! s'écria Sébastien exaspéré ; nous serons tristes comme des hiboux quand elle sera partie !

– Aimes-tu mieux qu'elle passe son temps à pleurer toute seule, comme tantôt ?

– Elle pleurait ? demanda l'excellent homme, soudain ému.

– Elle avait pleuré quand je suis entrée, en relisant d'anciennes lettres, sans doute, car elle avait encore le paquet dans les mains. N'as-tu pas dans l'idée qu'elle a aimé quelqu'un, et qu'elle a été malheureuse ?

– Mais alors, dit Frogé plein d'espoir, si elle a aimé quelqu'un, elle voudra peut-être rester fidèle à son souvenir, et ça l'empêcherait de se marier ?

– C'est précisément ce qu'il ne faut pas, Sébastien ; il faut qu'elle oublie et qu'elle se marie : c'est comme cela qu'elle sera heureuse, et non à vivre avec son triste passé.

En voyant s'évanouir son espoir, M. Frogé redevint soucieux.

– Il ne faut pas être égoïstes, mon vieux mari, dit Isabelle en posant sa douce main potelée sur l'épaule du professeur morose ; il faut penser au bonheur des autres ; et puis, est-ce que nous ne resterons pas ensemble, toi et moi, pour mourir ensemble comme nous avons vécu ?

Sébastien baisa pieusement la main de sa fidèle compagne.

– C'est égal, dit-il avec un gros soupir, j'avais pensé qu'elle nous fermerait les yeux, et que quand l'un de nous serait parti, elle aiderait l'autre à prendre patience en attendant la réunion.

– Nous étions deux égoïstes, mon ami, répondit-elle ; son bonheur n'est pas de rester à soigner deux vieillards et à en consoler un ; elle se mariera, comme nous, et sera heureuse comme nous.

– Dieu le veuille ! répliqua lentement Sébastien. Nous avons eu des chagrins, ma bonne femme, mais nous avons pourtant été très heureux. Eh bien ! qu'elle se marie donc, puisqu'il le faut ! Mais à qui ?

Ils passèrent en revue tous les hommes qu'ils connaissaient et tombèrent d'accord que pas un d'eux n'était digne de Camille. Il fallait donc se créer de nouvelles relations ? Perspective effroyable devant laquelle l'héroïsme nouveau-né de Sébastien eût reculé dès l'abord ! Mais Isabelle était plus vaillante, et il fut convenu qu'on donnerait une soirée avec du thé et des petits gâteaux.

Les projets et les arrangements futurs occupèrent si bien les deux époux qu'ils n'étaient pas encore endormis quand Camille rentra. Ils prêtèrent l'oreille un moment au bruit léger qu'elle faisait dans sa chambre, puis le silence régna partout.

– Belle, dit tout bas le vieux professeur, il me semble qu'elle n'est pas couchée ?

– Non, répondit madame Frogé, elle n'a pas ôté ses bottines ; je connais bien le bruit de sa porte quand elle les met en dehors.

– Qu'est-ce qu'elle peut faire là, immobile ? demanda au bout d'un moment le vieillard inquiet.

Madame Frogé se laissa doucement glisser à bas du lit et s'approcha de la porte de communication. La lueur d'une bougie filtrait par le trou de la serrure ; la bonne dame, après un moment d'hésitation, se baissa et appliqua son œil à cet observatoire naturel. Elle se releva aussitôt et revint vers son mari.

– Eh bien ? demanda nerveusement celui-ci.

– Elle regarde un papier posé devant elle.

– C'est tout ?

– Oui.

– Elle pleure ?

– Non.

Les vieillards, inquiets et muets, écoutèrent longtemps sans que rien ne trahît un changement dans l'attitude de Camille. Enfin elle se leva lentement, remit la lettre de faire part dans le tiroir où elle l'avait prise, et se coucha sans bruit.

– Il faut la marier ! dit tout bas M. Frogé, désormais convaincu.

Sa femme lui répondit en lui serrant la main, et ils s'endormirent aussitôt, fatigués de leur longue veille et tristes jusqu'au fond de leurs bonnes âmes.

II

Le lendemain, pendant le dîner, madame Frogé se fit faire par Camille un relevé exact de ses occupations ; la jeune fille donnait des leçons dans quelques familles, nombreuses pour la plupart, de manière à avoir plusieurs heures d'occupation de suite dans la même maison. Cet arrangement était le seul, du reste, qui eût obtenu l'assentiment des époux Frogé lorsqu'ils avaient accueilli chez eux Camille orpheline et sans fortune personnelle.

Les leçons avaient été trouvées par de vieux amis dans des conditions exceptionnelles qui permettaient à la jeune fille de se glorifier de son indépendance, tout en obtenant le refuge et la protection du foyer de famille ; le revenu qu'elles lui procuraient lui permettait d'offrir à ses parents quelques gâteries et de subvenir aux besoins de sa modeste toilette ; mais là n'était pas leur attrait principal. Comme l'avait deviné la tante Belle, Camille s'ennuyait cruellement dans cet intérieur bourgeois ; elle rêvait autre chose, une existence, sinon plus romanesque, au moins plus mouvementée, dans un cadre moins mesquin, au milieu d'une société plus moderne ; ses leçons la plongeaient pour quelques heures dans ce milieu rêvé : c'était assez pour les lui rendre chères.

Camille n'était point passionnée pour son art, dont elle avait fait un métier ; d'autres trouvent dans la musique de quoi remplir leur vie, satisfaire leur besoin d'idéal : ce n'était pas le cas pour la jeune maîtresse de piano. Elle donnait de bonnes leçons parce qu'elle était naturellement consciencieuse, et aussi parce que son sentiment artistique n'était pas assez développé pour la faire souffrir des erreurs de ses élèves. Avec une patience imperturbable elle relevait les fautes et marquait la mesure ; elle respectait assez les maîtres pour ne permettre aucun changement au texte imprimé ; mais si ce texte portait une fausse note, fruit d'une faute d'impression, elle n'était pas de ceux qui osent réparer l'erreur ; l'élève et la maîtresse jouaient cent fois la même sonate, sans s'apercevoir qu'il fallait un dièse là où le graveur avait mis un bémol.

Camille était généralement aimée ; son indifférence pour tout ce qui ne la concernait pas directement se cachait sous une politesse souriante qui n'était pas une feinte : elle considérait l'amabilité comme un devoir, et à ce titre l'exerçait largement ; elle eût été bien surprise si quelqu'un l'eût accusée d'égoïsme ! De l'égoïsme, elle ? Grand Dieu ! Ne passait-elle pas sa vie à se préoccuper des moyens de n'être à charge à personne ? Ne gagnait-elle pas toute seule son pain quotidien et quelque peu davantage ? Qui donc sur la terre avait eu de plus belles aspirations ? Qui avait plus rêvé de se consacrer au bien-être des autres ?

Personne assurément ; mais il y avait sept ou huit ans que ces rêveries philanthropiques avaient remué le cœur de Camille, et depuis, frappée par une douleur intense, imprévue, elle avait peu à peu délaissé les chagrins des autres pour soigner son propre cœur endolori.

Devenue orpheline en 1871, elle avait quitté la petite ville de Saint-Martin-les-Mines, dans les Ardennes, pour venir demeurer avec M. et madame Frogé ; elle avait apporté de sa province quelques ridicules dont elle s'était vite débarrassée, et une étroitesse d'esprit qui devait durer plus longtemps ; cependant, l'usage avait poli ses dehors, et son désir de plaire l'avait rendue plus sociable même au fond de son âme ; néanmoins, avec de grandes qualités, un solide amour du devoir, un culte enthousiaste pour la vertu, Camille vivait repliée sur elle-même ; elle n'était pas heureuse, et ne savait pas donner le bonheur aux autres.

Quand madame Frogé se fut assurée que sa nièce ne connaissait personne qui pût apporter un élément à la société qu'elle voulait attirer dans sa maison, elle lui fit part de son désir de recevoir quelques amis.

– Penses-tu que cela t'amuse ? demanda timidement la bonne dame, après avoir exposé ses plans à la jeune fille.

– Mais certainement, ma tante ! répondit Camille en souriant. Vous vous faites mondaine ; mon oncle veut redevenir la fleur des pois : ce sera très amusant !

– Vous êtes une gamine, mademoiselle ! fit l'oncle enchanté de la voir sourire ; vous ne respectez rien ! C'est pour vous, et non pour nous, que nous nous proposons de rentrer dans la société.

– Pour moi, mon oncle ? dit aussitôt la jeune fille en redevenant grave. Je vous en prie, n'en faites rien ! C'est très sérieusement que je vous en prie ! Je ne veux gêner personne. Ne changez donc rien à vos habitudes ; je serais désolée de vous causer la moindre peine, et...

– Ton oncle plaisante, Camille, interrompit la tante Belle en jetant un regard de reproche à son époux déconfit ; c'est moi qui ai trouvé notre existence bien monotone et qui me suis proposé de l'égayer un peu. En vieillissant, je me lasse de voir toujours les mêmes objets, les mêmes visages. Nous donnerons donc une soirée jeudi prochain. Connais-tu quelqu'un que tu voudrais inviter ?

– Non, non, ma tante, répondit laconiquement Camille.

Elle resta silencieuse toute la soirée, et, les jours suivants, madame Frogé dut s'occuper seule des préparatifs de sa petite soirée.

Le jeudi venu, cependant, Camille disposa elle-même les petits gâteaux dans les assiettes, et voulut faire luire la vieille argenterie qui datait de la Restauration et ne sortait guère. La pince à sucre classique, avec ses griffes de lion, fourbie, étincelante, trôna en équilibre sur le sucrier, et les tasses se rangèrent en ordre de bataille sur le buffet.

Huit heures sonnaient au moment où Camille se pencha vers son miroir pour l'interroger une dernière fois ; elle avait beau vouloir traiter légèrement l'idée de ses parents, la pensée que cette fête lui était consacrée, à elle seule, faisait monter à son visage une légère rougeur de satisfaction. Après tout, il était fort doux de se sentir la reine de la soirée, et c'était un plaisir sur lequel elle n'avait pas eu le temps de se blaser. Dans la petite ville de Saint-Martin , où elle avait passé les premières années de sa jeunesse, son père n'avait ni assez de fortune ni assez d'influence pour mettre la jeune fille en évidence ; elle passait pour une des plus jolies personnes du pays ; mais qui, grand Dieu ! se fût avisé de donner un bal en son honneur ?

Il y a quelque chose de magique dans la pensée qu'on dérange les gens pour soi ; que pour soi les bonnes des autres vont chercher des voitures en maugréant ; que pour soi la modiste est grondée et la blanchisseuse rembarrée d'importance ; que pour soi le pâtissier convoqué arrive en courant avec une corbeille en équilibre sur son toquet blanc ; que les tables se déploient, les bougies s'allument, les chaises s'alignent, le long des murs, le tout en l'honneur d'un visage blanc ou mat, d'une paire d'yeux bleus, gris ou noirs. Quand on est la fille d'un ministre, on dérange trois mille personnes et l'on fait dépenser cinquante mille francs ; quand on est Camille Frogé, la dépense est moindre, le dérangement aussi, mais le plaisir est probablement le même.

Camille vit dans son miroir un front pur, un peu étroit peut-être, des cheveux bruns ondés, des yeux bleu foncé magnifiques et très variables dans leur expression qui les faisait parfois changer de couleur, depuis le bleu presque noir des mers orageuses jusqu'à l'azur céleste des pervenches ; les traits étaient réguliers, et le sourire triomphant qui apparut sur ce beau visage lui donna ce qui lui manquait le plus souvent : une expression joyeuse et vivante.

La jeune fille était vêtue d'une robe de laine grise ; la simplicité la plus austère présidait toujours à sa toilette ; cependant elle avait posé un petit bouquet de roses de mai dans ses cheveux et un autre à son corsage : c'était le seul luxe qu'elle voulait se permettre. Le diable n'y perdait rien, le lecteur peut en être convaincu. Elle entra dans le salon au moment où sa tante, inquiète de ne pas la voir apparaître, s'efforçait de tenir tête à deux visiteurs à la fois, tâche évidemment au-dessus de ses forces. Camille s'assit en face d'elle, et après les trente secondes d'embarras indispensables à toute présentation, madame Frogé fut surprise de la voir si au courant de ce qui se dit et se fait dans ce grand Paris qui lui était à elle si singulièrement étranger.

On peut habiter Paris et n'en rien connaître ; c'est un des points qui le rendent supérieur ou inférieur, comme on le voudra, à la moindre ville de province. Madame Frogé demeurait dans l'île Saint-Louis depuis vingt-deux ans, et c'est à peine si elle en était sortie vingt-deux fois. Il est des coins bénis où l'homme sédentaire peut se faire un nid et vivre étranger à toutes choses ; l'île Saint-Louis est de ceux-là, et ce n'est pas son moindre charme. Aussi quel étonnement pour la bonne dame que d'entendre Camille parler des nouvelles voies de communication, du boulevard Saint-Germain, de la prochaine Exposition, des tramways à vapeur !...

– Tu vas donc dans tous ces machins-là ? demanda avec horreur madame Frogé, au moment où un coup de sonnette lui annonçait un nouvel arrivé.

– Il le faut bien, ma tante ! répondit Camille avec un sourire modeste et un peu mélancolique ; sans cela, je ne pourrais jamais aller donner des leçons si loin !

L'interlocuteur de la jeune fille la regarda avec curiosité. C'était un homme de quarante-cinq ans environ, mais qui paraissait, suivant l'expression vulgaire, « jeune pour son âge ». Tout le monde a vu de ces hommes droits et bien faits, à la démarche militaire, avec un peu d'embonpoint général qui n'affecte point le torse en particulier ; les cheveux se font rares, voire même grisonnants sur les tempes ; mais le teint est frais, l'œil vif, la démarche agréable, encore qu'un tant soit peu pesante ; somme toute, ce sont de beaux cavaliers, et, comme maris, très recherchés sur la place. Celui-ci était sous-chef de bureau dans un ministère, et en passe d'arriver beaucoup mieux, car il était fort appuyé. Entre eux, ces messieurs disent « *fort pistonné* » ; mais ce terme expressif ne doit point faire partie de la dernière édition du dictionnaire de l'Académie.

Comment Gustave Mirmont se trouvait-il invité au boston de madame Frogé ? Ce serait inexplicable s'il n'avait été autrefois un des plus brillants élèves du digne professeur. Celui-ci, sans se douter de ce qu'il faisait, l'avait si bien recommandé, si chaudement appuyé, que de la recommandation de Sébastien était venue la fortune de Mirmont. Il y a de ces mystères dans les destinées : un vieux bonhomme vante son élève ; un ministre passe par là, une place est vacante, et le tour est joué ; ce n'est une affaire ni de mérite, ni d'intrigue ; c'est une combinaison de hasards heureux.

Mirmont ne croyait pas aux hasards heureux ; peut-être est-ce pour en avoir trop fait naître dans sa vie ; toujours est-il qu'il avait cru au bonhomme Frogé infiniment plus de pouvoir et d'habileté que n'en possédait le vieux professeur, et cette erreur avait valu à celui-ci bien des politesses dont, mieux renseigné, le fonctionnaire se fut dispensé. Mirmont tenait à être délicat, reconnaissant, généreux et bon ; aussi, au 1er janvier, madame Frogé recevait-elle régulièrement un sac de marrons glacés, et son époux un pot de tabac à priser, râpé spécialement pour lui à la Manufacture des tabacs, où Mirmont avait des relations d'un ordre supérieur.

Camille répondit au regard de Mirmont par un sourire qui signifiait : – Mon Dieu, oui, monsieur, je vais en tramway, et je donne des leçons de piano. Vous voyez que malgré cela on peut être très jolie et pas trop mal élevée.

Si Camille avait été une jeune fille comme toutes les autres, grandie au sein de sa famille, munie d'une dot convenable et accoutumée à ne faire œuvre de ses dix doigts, Gustave Mirmont ne se fut probablement pas occupé d'elle. Ce beau célibataire avait patiemment attendu une position qui lui permît de faire un brillant mariage, et se sentait assez de patience encore pour attendre plus longtemps. Mais Camille gagnait son pain quotidien ; Camille, indépendante et surtout seule, devenait un sujet d'études fort intéressant. Mirmont avait toute une théorie à l'endroit des jeunes filles qui subviennent à leurs besoins ; cette théorie n'était pas à sa louange, il faut l'avouer ; mais Mirmont, tout en s'inclinant devant tout ce qui veut que l'on s'incline, avait une âme profondément sceptique.

Camille n'était pas une ingénue, dans le sens usuel du mot ; on ne bat pas impunément le pavé de Paris pendant plusieurs années ; la plus honnête des femmes finit un jour ou l'autre par s'entendre dire qu'elle est jolie, sous une forme plus ou moins précise ; elle lut fort bien sur la physionomie du fonctionnaire l'impression que ses paroles avaient produite, et une sourde colère se leva dans son cœur. Pourquoi se permettait-il de la mépriser, cet homme qui ne la connaissait pas ? De quel droit pensait-il qu'elle fût moins respectable qu'une autre jeune fille ? La pensée d'humilier cet homme devant lequel Camille venait de se sentir humiliée germa soudain et grandit dans son cœur.

– Vous serez bien forcé d'être respectueux, si je le veux, dit-elle intérieurement à ce beau célibataire correct ; je pourrais, les circonstances aidant, vous rendre malheureux ou ridicule.

Elle se leva sans affectation, et rejoignit sa tante. Mirmont put admirer l'aisance de ses mouvements, la grâce de sa démarche, les plis charmants que formait sur son corps admirable le cachemire gris, serré suivant la mode du jour ; il put admirer aussi les riches torsades de ses cheveux, auxquels la jeune fille n'ajoutait point de nattes empruntées, l'éclat de son teint, la douceur de ses yeux et l'affabilité de son sourire ; il put admirer tout cela à l'aise, car plus de deux heures s'écoulèrent avant qu'il pût échanger un mot avec mademoiselle Frogé, qui semblait avoir oublié son existence.

Le thé avait fait son apparition avec les petits gâteaux. Madame Frogé, essoufflée et ravie, constatait avec joie qu'il y avait assez de tout, lorsqu'une vieille dame de Saint-Martin, assise à une table de jeu, dit soudain à Camille, en abattant ses cartes :

– Et votre amie, cette petite Laugé, qui avait épousé un M. Brécart, un ingénieur, si je ne me trompe, qu'en avez-vous fait, Camille ?

La jeune fille sentit tous les yeux se tourner vers elle, et spécialement ceux de Mirmont ; surmontant une sorte de crampe qui venait de lui serrer la gorge, elle répondit d'une voix assurée, bien qu'un peu rauque :

– Je n'en ai rien fait du tout, chère madame. Il y a trois ans que je n'ai eu de ses nouvelles.

– Je puis vous en donner, si vous le désirez, reprit un vieux monsieur qui jouait l'écarté avec l'ex-professeur ; ma nièce a eu l'occasion, l'année dernière, de se lier avec la jeune madame Brécart, qui est tout à fait charmante, paraît-il ; c'était à Saint-Martin, où ma nièce était allée prendre les eaux ; vous avez des eaux minérales, n'est-ce pas ?

– Oui. monsieur, répondit Camille de la même voix.

– Eh bien ! continua l'impitoyable rabâcheur, sans se douter du supplice qu'il infligeait à la jeune fille, ma nièce a conservé une correspondance avec madame Brécart, et j'ai appris ces jours derniers que M. Brécart a reçu sa nomination à Paris, à l'École centrale...

– Si jeune ! s'écria M. Frogé ; mais il n'a pas trente-cinq ans !

– C'est un jeune homme d'une valeur exceptionnelle, à ce que j'ai entendu dire ; on assure qu'il mérite cette distinction flatteuse.

– Mais tu dois le connaître, Camille, demanda M. Frogé en se tournant vers sa nièce ; tu étais l'amie intime de la petite Laugé, tu dois savoir quelle espèce d'homme est M. Brécart ? Est-il bien ?

– Comment l'entendez-vous, mon oncle ? demanda la jeune fille de la même voix tranquille et voilée.

– Ce n'est pas de sa figure que je parle, reprit le vieillard en riant ; nous savons que les ingénieurs sont tous jolis garçons ; c'est de son mérite. Qu'en pensait-on à Saint-Martin ?

Camille leva les yeux sur l'assistance ; tous ces provinciaux de Paris attendaient sa réponse comme un événement ; le coup d'œil que lui jeta Mirmont lui parut plus investigateur que ne le permettait la bienséance ; elle arrêta sur lui son regard froid et indifférent ; une tension de volonté extraordinaire lui permit d'éclaircir sa voix et de parler nettement.

– M. Brécart passait à Saint-Martin pour un homme sérieux, instruit et fort capable. C'est son mérite qui lui a fait obtenir la main de mademoiselle Laugé, qui était riche, tandis qu'il n'avait pas de fortune. Je n'ai jamais entendu dire de lui que du bien.

Elle se détourna comme pour indiquer que ce sujet était épuisé ; les conversations reprirent leur cours, mais elle n'entendait plus rien ; l'idée que Paul Brécart allait venir à Paris mettait dans son cerveau une sorte de brasier qui lui faisait mal. Le vieux monsieur dont la nièce était allée aux eaux à Saint-Martin l'arrêta comme elle passait auprès de lui.

– Madame Brécart doit être à Paris en ce moment, lui dit-il ; puisque vous êtes son amie, vous serez bien aise de la voir, je suppose ; elle doit descendre hôtel Louvois, et compte s'installer définitivement ici ; elle a même amené son petit garçon.

– Ah ! fit Camille le cœur serré, ils ont un fils ?

– Un enfant superbe, à ce que dit ma nièce. N'oubliez pas, hôtel Louvois ; vous savez, la place où il y a une fontaine ! Je vous conseille de l'écrire.

– Je m'en souviendrai, répondit Camille. Ils ont un fils ! De quel âge ?

– Deux ou trois ans.

Camille se glissa hors du salon et s'arrêta dans la salle à manger, déserte et moins éclairée. La fenêtre ouverte recevait la clarté de la lune dans son plein ; Camille s'approcha de la large baie, et posa ses deux mains sur la barre d'appui.

– Trois ans, murmura-t-elle, un fils de trois ans... Heureuse épouse, heureuse mère... Et moi...

Elle se roidit douloureusement en arrière, tordant ses mains sur la barre froide, et s'efforçant de ne pas crier sous l'angoisse qui serrait son cœur dans un étau.

– Rien, rien, jamais ! dit-elle tout bas d'une voix étouffée, et ses mains retombèrent molles et inertes le long de sa robe, comme après une convulsion. Pourvu que je ne les revoie pas, surtout. Tout, tout ce que vous voudrez mon Dieu ! mais pas les revoir !

Ce fut presque un cri qu'elle laissa échapper. Effrayée de sa propre voix, elle se retourna ; personne n'avait entendu, elle était seule. Passant rapidement sa main sur ses yeux secs et brûlants, elle se dirigea vers le salon.

Près de la porte, elle rencontra Mirmont qui, cette fois, évita de la regarder. Presque sûre qu'il l'avait observée, ce fut elle qui l'interrogea des yeux, mais il fut impassible.

– Ne nous ferez-vous pas un peu de musique, mademoiselle ? lui dit-il avec une douceur exquise.

– Non, monsieur, lui répondit Camille avec un charmant sourire ; c'est assez d'en faire par nécessité, je n'en fais jamais pour mon plaisir.

– Mais celui des autres ? insista le galant célibataire.

Camille haussa les épaules comme pour dire que le plaisir des autres lui paraissait peu de chose. Mirmont répondit à son sourire par un petit rire discret, et tous deux se mirent à rire ensemble pendant une seconde.

– Causons, alors, dit-il en présentant une chaise à la jeune fille. Aimez-vous le théâtre ?

Ils causèrent environ une demi-heure, après quoi Mirmont se leva, convaincu que Camille avait un secret, et qu'elle était fort habile, ce dont une moitié seulement était vraie. Il se promit de pénétrer le secret et de s'en servir, s'il était possible.

Quand tout le monde fut parti, M. et madame Frogé s'extasièrent en duo sur la bonne ordonnance de leur fête, dont rien n'avait troublé l'harmonie.

– Et toi, Camille, as-tu passé une bonne soirée ? demanda la tante au moment où l'on se séparait pour la nuit. Tu dois être contente de voir revenir les petits Brécart ? cela va te faire une société.

– Mais oui, ma tante, je vous remercie, répondit la jeune fille en tirant sur elle la porte de sa chambre. – Pourvu que je ne le revoie pas ! se dit-elle quand elle fut seule. C'est mon seul espoir, mon seul salut !

III

Pendant huit jours, mademoiselle Frogé suivit la routine ordinaire de ses devoirs, se garda bien de passer du côté de l'hôtel Louvois, et s'efforça d'oublier jusqu'au nom de Brécart ; son oncle et sa tante, fatigués par l'immense effort que leur avait coûté leur petite fête, se reposaient dans une douce somnolence ; c'est avec volupté qu'ils regardaient leurs tasses de porcelaine réintégrées dans le buffet, leurs boîtes de cuillers à thé rangées dans l'ordre accoutumé, les chaises et les fauteuils rendus à leur première harmonie, et tout cet intérieur réglé, correct et monotone leur paraissait le paradis perdu et retrouvé. De plus, un sentiment d'orgueil légitime gonflait leur cœur à la pensée du succès de cette entreprise.

– Quand on pense, disait la tante Belle, qu'on ne m'a rien cassé, pas même une bobèche !

Les deux époux interrogeaient Camille avec des ménagements infinis. Celui-ci lui avait-il paru aimable ? Cet autre n'était-il pas joli garçon ? Camille n'avait point trouvé le premier remarquablement aimable, ni le second plus beau qu'Antinoüs ; alors les deux bons vieux baissaient le nez sur leur assiette, et se demandaient avec terreur s'il ne faudrait pas recommencer à donner une fête.

– Le seul homme que j'aie trouvé intéressant, déclara un jour Camille, ennuyée de cet interrogatoire, est M. Mirmont ; il est désagréable, mais intelligent.

– Désagréable ! Camille, y penses-tu ! Un homme si bien élevé ! s'écria la tante Belle.

– Un homme si considérable ! repartit l'oncle Sébastien, et mon meilleur élève ! Un homme qui est en passe d'arriver à tout ! Désagréable ! En quoi l'as-tu trouvé désagréable, ma chère enfant ? C'est l'homme le plus aimable.

– Très aimable, mon oncle, en effet ; mais je m'entends, si je ne sais me faire entendre ; il est très aimable, vous avez raison, très considérable et sans doute encore plus considéré !

– Certainement ! firent les époux en chœur.

– Tant mieux, mon oncle, tant mieux, ma tante !

La conversation s'arrêta court. M. et madame Frogé se regardèrent consternés. Certes, l'idée qu'un personnage aussi considérable que Gustave Mirmont pouvait rechercher leur nièce n'avait jamais germé dans leur cerveau ; mais n'était-ce pas désolant que cet homme aimable eût ainsi déplu à la jeune fille ? Madame Frogé se promit d'en parler à Camille en choisissant un moment favorable, car la bonne dame, sans se l'avouer, avait un peu peur de sa nièce, dont la froideur l'inquiétait souvent, elle toujours si expansive et, dans le sens le plus large du mot, si charitable !

Camille était stoïque à sa façon ; c'était malgré elle qu'en rangeant de vieux papiers elle avait trouvé la lettre de mariage de Paul Brécart ; c'était certes bien malgré elle que ce nom était revenu récemment frapper ses oreilles ; était-ce sa faute si les jeunes époux venaient à Paris, lorsqu'elle y était, elle, depuis plusieurs années ? Elle n'avait rien à se reprocher dans ce concours de circonstances. Vraiment on dirait parfois que les choses s'acharnent contre vous avec une sorte de rage perverse ; le nom qu'on veut oublier revient à vos oreilles, les indifférents labourent sans pitié votre cœur avec des paroles, pour eux banales et sans importance ; un ouvrier passe dans la rue en sifflant un air ; cet air vous fait monter aux yeux un flot de larmes amères, et le premier prénom que votre œil distrait rencontre dans le journal est celui de l'être que vous voulez rayer de votre vie !

Sans doute, c'était la faute des choses si Camille s'était vue obligée de parler des Brécart et de penser à eux ; mais elle ne devait pas permettre à ce souvenir d'envahir son existence ; elle devait oublier à tout prix ! Camille était une mystique sans le savoir ; elle croyait à l'influence mauvaise de la chair sur l'esprit ; pour mortifier son âme, elle s'en prit à son corps. Pendant une quinzaine elle ne but que de l'eau, se priva de toute recherche de nourriture, vivant de pain et de légumes, sous prétexte de manque d'appétit, et supprima son premier déjeuner, ce qu'elle pouvait faire à l'insu de tous. Ce n'était pas assez ; elle se mit à lire tous les soirs des ouvrages de morale, jusqu'à ce que ses yeux gros de sommeil ne pussent plus distinguer les caractères, et le matin, éveillée par le premier cri des hirondelles, elle se leva aux faibles clartés de l'aube ; elle fit ses courses à pied, et rentra harassée, brisée au moral comme au physique, incapable de penser et contente d'elle-même.

– Il faudra bien, se disait-elle avec une joie cruelle, que je t'oblige à ne plus aimer le mari d'une autre !

En effet, elle crut l'avoir oublié. Quand elle eut abattu son intelligence et sa force, elle crut avoir tué son amour, et vraiment elle était si lasse que le nom de Paul cessa de la hanter, et sa pensée ne revint plus à l'esprit de l'orgueilleuse Camille.

Il y a des êtres qui prennent leur croix en patience, et la portent péniblement dans tous les sentiers, humiliés de souffrir, mais soumis dans leur humiliation ; Camille n'était pas de ceux-là ; elle voulait être parfaite. Elle ne pouvait admettre une tache sur ce manteau d'hermine dans lequel elle se drapait si fièrement.

– Je fais tout ce que je peux, tout ce que je dois, se disait-elle, et quand je manque à mes devoirs, je m'en châtie aussitôt.

Elle se châtiait, comme nous l'avons vu, en mortifiant son enveloppe mortelle ; mais son indomptable orgueil, une fois la résistance brisée, reprenait le dessus et triomphait de plus belle. Aussi, quand elle s'aperçut que la pensée de Brécart et de sa femme la laissait calme, elle s'applaudit de sa force et de son courage.

– On fait tout ce qu'on veut, se dit-elle ; ce sont les faibles qui ne peuvent pas.

Camille, au bout de quinze jours, se sentit si sûre d'elle-même qu'elle cessa d'éviter le quartier Louvois ; jusque-là elle faisait un détour pour ne pas passer par la rue Richelieu ; elle la prit bravement toutes les fois que ses occupations l'attiraient de ce côté, et même, en passant devant le square, elle jeta plus d'un coup d'œil dédaigneux sur la façade de l'hôtel, caché par les feuillages.

– Ce n'est pas si terrible, après tout, se dit-elle, et puis j'ai la chance pour moi en ce moment : j'aurais beau chercher Claire, je ne la rencontrerais pas.

Une autre quinzaine s'écoula ; puis un soir, vers six heures, Camille, un peu en retard, pressait le pas pour retourner chez elle, quand, rue de Rivoli, près du Louvre, elle entendit son nom prononcé par une voix jeune et joyeuse :

– Camille !

Elle ne se demanda pas qui l'appelait ; sa destinée venait de lui mettre la main sur l'épaule.

– Claire, dit-elle en s'arrêtant brusquement.

En face d'elle se trouvait une jeune femme, presque blonde avec des yeux bruns, très doux plutôt que très grands, un joli sourire, des dents blanches, des fossettes aux joues, et un air d'indicible honnêteté répandu sur tout son être. Elle tendait à Camille sa main gauche, et de la droite retenait une petite voiture d'enfant.

C'est l'enfant que regarda Camille en prenant la main de son ancienne amie.

L'enfant était un robuste garçon aux yeux de sa mère, aux cheveux noirs frisés, emmêlés, comme ceux de son père ; son regard sérieux s'arrêta sur le visage de Camille, et il la contempla pendant qu'elle parlait, avec la fixité de ces petits êtres à qui la politesse est complètement inconnue.

– Camille, te voilà ! C'est une heureuse chance que de nous rencontrer ainsi ! Il y a longtemps que je voulais aller te voir, et puis quand on s'installe, tu sais, on n'a jamais le temps... Mon fils, M. Félix Brécart ; oh ! tu peux l'embrasser, je ne suis pas jalouse ! Il y a des mères qui n'aiment pas qu'on embrasse leurs enfants ; moi, cela me fait plaisir !

Camille se pencha sur le petit garçon qui la regardait toujours, et le baisa au front ; mais Félix probablement trouva l'accolade trop cérémonieuse, car, étendant ses deux grosses menottes, il repoussa fortement Camille, après qu'elle l'eut embrassé, et continua à la regarder fixement.

Claire se mit à rire.

– Il est mal élevé, vois-tu, mais

...Dans un âge aussi tendre,
Quel éclaircissement pouvez-vous en attendre ?

Il ne te dira jamais pourquoi il est si peu gracieux. Ah ! Camille, te souviens-tu de la pension de mademoiselle Boucin, quand tu jouais Athalie et moi Josabeth ? J'étais destinée à jouer les mères de famille !

Elle promenait de son fils à son amie ses yeux clairs et rieurs, et son sourire de mère heureuse achevait sa pensée.

– Tu es installée à Paris ? demanda Camille, non sans effort.

– Rue de Rivoli, au coin du boulevard de Sébastopol, avec une vue sur les arbres de la place du Châtelet : c'est divin ! Et le soir, à la sortie des théâtres, c'est d'un drôle ! tu n'as pas idée de cela, surtout quand il pleut ! Et puis il y a les marchands d'oranges ! Ah ! que c'est amusant, Paris ! Quand viens-tu me voir ? Il faut dîner avec nous ! Veux-tu demain ?

– Demain, je ne peux pas, répondit lentement Camille.

– Après-demain alors ?

– Après-demain non plus, dit faiblement la jeune fille, qui se débattait contre elle-même et se sentait succomber.

– Que tu es ennuyeuse ! Dimanche, alors ? C'est cela, dimanche, et mon mari sera là toute la soirée. Viens de bonne heure, n'est-ce pas ? Viens à cinq heures, nous rentrons toujours à cinq heures à cause de Bébé, qui doit dîner de bonne heure. C'est dit.

– Soit, répondit Camille. Au revoir.

– Et mon mari, tu ne me demandes pas de ses nouvelles ? Tu étais pourtant de ses grandes amies, jadis ! Toujours beau, toujours charmant ! Tu rougis ? Je choque tes principes ? Une femme a bien le droit de trouver son mari charmant, je présume ! Tu es toujours méthodiste alors ? Ce sera bien amusant ! Nous allons te rendre la vie dure, tu verras ! À dimanche donc !

Elle s'appuya sur la poignée de la petite voiture pour la remettre en marche, et adressa un dernier signe de tête amical à son amie. L'enfant se retourna brusquement pour voir encore le visage de Camille, mais il resta impassible jusqu'à la maison paternelle.

Camille rentra chez son oncle comme en état de somnambulisme.

– Veux-tu, lui dit sa tante dans la soirée, que nous allions dimanche aux eaux de Saint-Cloud ?

Dans les idées de la tante Belle, c'était encore une manière de mener Camille dans le monde.

– Dimanche ? Non, ma tante, je vous remercie ; j'ai rencontré Claire... Claire Brécart ; elle m'a invitée à dîner.

Les deux époux ouvrirent de grands yeux, et Camille dut raconter sa rencontre. Quand elle se fut retirée, M. Frogé dit à sa femme :

– Tu ne sais pas, Belle, puisque Camille ne peut pas aller à Saint-Cloud avec nous, nous irons tout seuls, comme dans le bon vieux temps.

– Sébastien ! quelle idée ! Nous deux, tout seuls ?

– Comme deux amoureux. Hé ! hé ! ma bonne femme, nous y avons été bien heureux !

Et, en effet, le dimanche venu, vers trois heures, les deux vieux partirent pour Saint-Cloud.

IV

– Enfin ! s'écria Claire au moment où Camille entra dans son petit salon café au lait, après de longues, longues années, nous allons pouvoir causer librement ! C'est que j'ai mille choses à te dire et au moins deux mille à te demander. Embrasse-moi donc ! Est-ce qu'une poignée de main suffit entre vieilles amies comme nous ?

Camille se laissa appliquer deux baisers sur les joues, et s'assit sur un petit fauteuil bas, capitonné, frangé, orné de glands, et aussi moelleux qu'un lit de plume.

– D'abord, reprit Claire sans perdre de temps, pourquoi as-tu cessé de m'écrire ?

– Je n'ai pas cessé, répondit lentement la jeune fille, c'est le hasard.

– Le hasard ! Dis plutôt la paresse ! Si tu avais répondu seulement un pauvre petit mot à notre lettre de faire part ! Mais non, pas seulement une carte de visite ! C'est ça qui n'est pas poli ! Enfin, on te pardonnera cela avec le reste.

Camille réprima un mouvement ; ce mot de pardon blessait ses oreilles.

– Toujours orgueilleuse ? demanda Claire en souriant : je retrouve ma grande Camille. Tu es une Romaine, toi, ma chère, stoïque à la douleur, et cuirassée d'orgueil contre les petits accidents de la vie. Tu as un beau caractère.

– J'ai beaucoup changé, répondit Camille avec une nuance de hauteur.

– Allons, tant mieux ! – ou tant pis ! conclut madame Brécart en éclatant de rire. Voyons, ne prends pas tes grands airs, puisqu'on t'aime telle quelle ! Ne sais-tu pas que je n'ai pas changé, moi ? Je suis toujours l'incorrigible rieuse que tu as connue.

– Toujours moqueuse alors ! demanda la jeune fille avec un sourire mince comme une feuille de papier pelure.

– Toujours ! C'est si amusant ! mais sans malice, tu sais, exactement comme autrefois. Et tes parents, M. et madame Frogé, sont-ils restés les mêmes ?

– Je suppose ! On ne s'aperçoit pas des changements que le temps amène lorsqu'on est auprès des gens !

– C'est juste ; il faut se quitter pour se rendre compte. Eh bien ! sais-tu ? Je te trouve embellie ! Et pas vieillie du tout !

– Toi non plus, répondit Camille en scrutant le visage de la jeune femme. Quel âge as-tu ?

– J'ai toujours dix-huit mois de moins que toi ; je dois avoir vingt-quatre ans, par conséquent. Mais je suis bien vieillie !

– Je ne trouve pas, dit involontairement mademoiselle Frogé en examinant les yeux clairs, le teint velouté et les dents de perle de son amie d'enfance.

– Oh ! si ! la maternité, vois-tu, c'est charmant, mais cela fatigue. Et puis, c'est moi qui ai nourri Félix, et je puis t'assurer que le métier de nourrice est un rude métier !

Camille baissa les yeux d'un air offusqué qui n'avait rien de forcé.

– Toujours prude ? fit remarquer madame Brécart. Encore une étoile qui vient de tomber dans mon assiette, comme disait ce roi de féerie ; moi, ce sont mes pantoufles que je mets dans ta gamelle. N'est-ce pas que je suis mauvais genre ? Allons, dis-le ! tu en meurs d'envie ! Ici, d'ailleurs, une fois qu'on est entré, on dit et l'on fait tout ce que l'on veut ! Et je donne l'exemple. Alors, il ne faut pas te parler d'enfants, ni de ménage, ni de maladies, ni... ? Ce n'est pas très commode, mais on tâchera de s'y conformer. Tu ne te maries pas, toi ?

– Non, répondit sèchement Camille ; je crois bien que je ne suis pas née pour le mariage.

– C'est pourtant bien gentil ! Avoir auprès de soi ou à l'autre bout de la ville une autre moitié de soi-même à qui l'on pense et qui pense à vous ; vivre pour lui plaire, inventer mille petites choses qui lui feront autant de surprises agréables quand il rentrera ; pouvoir lui dire tout, rire et pleurer sur son épaule ; quand on se réveille la nuit en sursaut, dans un rêve affreux, étendre la main et s'assurer que le protecteur, l'époux est là, tout près, qu'on peut le réveiller en allongeant le doigt, ce qui vous empêche d'avoir peur !... Ah ! pardon, j'ai mis une autre pantoufle dans ton second service !... Je te fais mes excuses. Est-ce que tu ne pourrais pas t'y habituer ? Non ?

Alors c'est moi qui essayerai de ne plus recommencer. Du reste, comme dit Bébé : « Bien sûr je ne l'ai pas fait exprès ! » Tu feras bien de ne pas te marier, Camille ! C'est ton mari qui te scandaliserait ! Tiens, voici le mien qui rentre.

Dans ce flux de paroles entrecoupées de rires, la porte du salon s'ouvrit, et Paul Brécart parut sur le seuil. Sa belle figure mâle se découpait sur le ton fin et délicat de la tapisserie comme un portrait des maîtres italiens sur les fonds clairs des portiques. Sa stature élégante appelait le pourpoint de velours noir, si bien qu'on ne s'apercevait pas qu'il portait une redingote. Le regard assuré, le front haut et intelligent, les traits fins et spirituels, avec une grande expression de bonté dans le sourire, Paul Brécart entra chez lui comme un homme heureux qui aime son foyer et qui s'y sent aimé.

Il déposa son chapeau sur le premier meuble, et tout en s'avançant vers les deux jeunes femmes, il les regarda alternativement l'une et l'autre de l'œil d'un artiste, mais aussi d'un penseur ; son regard se reposa un instant sur sa femme avec une douceur infinie, puis il tendit la main à Camille.

– Embrasse-la, dit Claire en poussant la jeune fille vers son mari.

Elle tendit sa joue, que venait d'envahir une rougeur subite. Brécart y déposa un baiser cérémonieux et se pencha aussitôt sur la main de sa femme, qu'il porta à ses lèvres. La rougeur descendit rapidement des joues de Camille, laissant seulement une tache sur les pommettes un peu saillantes.

– Comme on se retrouve ! dit Claire en se replongeant dans son fauteuil. Il y a six ans, sept ans, je ne sais plus combien de siècles que nous n'avons été ensemble tous les trois comme aujourd'hui.

– Que d'événements, n'est-ce pas ? demanda Paul à la jeune fille avec un demi-sourire.

– Ma vie n'a point eu d'événements ! répondit-elle avec vivacité. Sa froideur et son embarras avaient disparu ; on eût dit une plante qui vient d'être arrosée après une chaude journée de soleil. Mais la vôtre ! Êtes-vous content de votre sort ?

– Content de mon sort ? oui ! heureux de vivre ! Vous aimez beaucoup Claire, n'est-ce pas, mademoiselle ? Je puis vous assurer qu'elle a conservé pour vous une vive tendresse. Vous devez être satisfaite d'apprendre que nous sommes parfaitement heureux.

Claire hocha deux ou trois fois la tête en signe d'approbation et se pelotonna dans son fauteuil avec un geste d'enfant heureux.

— Notre mariage a dû vous surprendre ? continua Brécart, s'adressant toujours à Camille, qui l'écoutait les yeux fixés sur lui. Il a surpris, je crois, tout le monde, et, cependant, avec un peu d'attention, on eût pu découvrir notre secret ; par bonheur, personne n'y songeait.

— Votre secret ? demanda Camille, qui sentit un froid mortel l'envahir par degrés.

— Oui ; la mère de ma femme était seule à le connaître avec nous deux ; M. Laugé voulait un gendre établi ; – je n'étais point ce qu'on appelle *établi* ; – j'attendais ma nomination pour faire ma demande ; mais quand je l'ai faite, il y avait un an que nous étions fiancés !

— Un an ! répéta Camille. Un an... et tu ne m'en as rien dit ! ajouta-t-elle en se tournant péniblement vers Claire.

— Je ne le pouvais pas, répondit joyeusement celle-ci. Nous avions juré le secret, maman, Paul et moi, comme les trois Suisses dans *Guillaume Tell* ! Ah ! le bon temps ! ajouta la jeune femme entendant la main à son mari.

— À présent vaut mieux, répondit-il en lui souriant.

— Ah ! fit lentement Camille, vous étiez fiancés !

Bébé, suivi de sa bonne, vint annoncer que madame était servie. Brécart enleva son fils dans ses bras et se dirigea vers la salle à manger.

Camille, en déployant sa serviette, ne put s'empêcher d'en admirer la finesse et la blancheur ; le joli service de table, en faïence toute simple, mais parfaite de couleur et de dessin, le cristal uni d'une forme élégante sans apparat, l'ameublement gai plutôt que somptueux, mais fini et harmonieux dans tous ses détails, tout cela ne ressemblait ni au mobilier 1840 de M. et madame Frogé, ni au luxe bourgeois des maisons où l'appelaient ses occupations journalières. Elle n'avait jamais vu d'intérieur semblable ; au lieu d'une lampe, une corbeille de fleurs entourée de bougies descendait du plafond dans une coupe de cristal ; des supports en bois découpé portaient le long des murailles d'autres vases également pleins de fleurs ; le buffet n'offrait point d'argenterie cossue ni de service au grand complet ; quelques assiettes de Sèvres dépareillées, quelques tasses de Chine, de curieuses pièces d'orfèvrerie ancienne noircies par le temps et l'usage remplissaient ce meuble d'une façon amusante pour l'œil ; rien de tout cela n'était classique, et cependant ce n'était pas ce qu'on est convenu d'appeler « le mobilier artistique », passion du plus grand nombre, et horreur d'une élite choisie.

Camille sentait plus qu'elle ne voyait toutes ces choses extraordinaires ; la découverte qu'elle faisait au moment où ils avaient quitté le salon plongeait tout le reste dans une demi-obscurité. Elle ne se rendait plus compte de rien. La pensée que cet homme et cette femme, heureux l'un par l'autre, l'avaient trompée en lui cachant leur amour, lui était entrée comme un clou dans le cerveau, et lui causait une douleur intolérable.

Cependant, avec le stoïcisme dont elle était si fière, elle tenta d'étouffer sa souffrance, et s'efforça de regarder autour d'elle. On lui servait un dîner excellent, des petits plats fins, de ceux que savent commander les jeunes femmes dont le mari est un peu friand et qui tiennent à retenir ce gourmet au logis ; mais ces chatteries étaient perdues pour la jeune fille ; elle effleurait à peine ce qu'on lui servait et à coup sûr n'eût pu dire si elle avait mangé des truffes ou des haricots.

– Tu n'as pas d'appétit ? lui demanda Claire avec intérêt. Es-tu souffrante ?

Camille se redressa comme cinglée par un coup de fouet.

– J'admire, dit-elle, de sa voix limpide et cassante comme une cloche de métal, que vous puissiez manger tant de choses ! Je me contente à moins de frais ; un peu de pain, quelques légumes, un verre d'eau, voilà de quoi me suffire !

Il y avait une sorte de défi dans sa voix et dans le regard qu'elle promena avec dédain sur le dessert, placé au milieu de la table, sous la coupe de cristal dont les plantes retombantes effleuraient les assiettes de fruits. Paul Brécart la regarda avec attention, et une ombre passa dans ses yeux clairs et hardis.

– Je vous plains, dit-il d'une voix grave qu'il n'employait jamais avec sa femme et son enfant. Vous perdez une foule de petites jouissances fort innocentes et très agréables.

– Agréables, je n'en doute pas ! répliqua Camille avec un petit rire sardonique ; innocentes, c'est autre chose.

– Que peut-il y avoir de coupable, reprit Claire, à manger un bon poulet au lieu d'un vieux coq coriace ?

– Ce n'est pas, répondit Camille avec un peu de dédain, dans la différence d'un jeune poulet à un vieux coq que se trouve la faute ; c'est dans le plaisir qu'on trouve à sacrifier à la chair, à satisfaire ses instincts matériels...

– Mais, interrompit Claire, satisfaire à mon instinct matériel qui me fait aimer les petits pois ou les glaces à la fraise ne m'empêche pas du tout d'être une bonne fille, une bonne épouse, une bonne mère, d'avoir, en un mot, toutes les vertus d'une épitaphe bien conditionnée ! Bébé, veux-tu encore des petits pois, de ces cruels petits pois, qui seront la perdition de nos âmes ?

Bébé assistait gravement au repas, perché sur sa chaise haute, et depuis un moment faisait subrepticement la trempette dans son verre d'eau rougie, avec un bouchon et une croûte tour à tour ; à l'appel de sa mère, il leva la tête, aperçut la cuiller pleine de petits pois qui s'avançait vers lui, prit son assiette à deux mains comme un homme, la présenta à sa mère, et, après avoir été servi, plongea son museau tout entier dans l'assiette, dont le contenu s'égoutta immédiatement sur lui.

– C'est pour cela qu'on a des enfants, fit observer philosophiquement Paul Brécart, pendant que sa femme essuyait le visage et les mains du jeune coupable.

Celui-ci n'avait qu'une idée ; aussitôt qu'il se fut débarrassé de la serviette de sa mère, il reprit son assiette et la tendit vers le légumier en disant : – Encore.

– Peu de contrition, fit observer le père en souriant, et encore, s'il y en a, si peu que ce soit, c'est de la contrition imparfaite ; il y en a de deux sortes, je crois ?

Camille ne répondit pas à cette innocente taquinerie. Autrefois, Paul Brécart passait de longues heures à l'interpeller sur ses idées étroitement mystiques ; c'est avec ce même son de voix, avec les mêmes inflexions légèrement railleuses qu'il lui posait de redoutables cas de conscience tels que celui-ci : A-t-on le droit de tuer pour le manger un lapin qui vient de manger l'herbe d'autrui ? N'est-ce pas un crime que de faire passer de vie à trépas un être dont l'âme est ainsi chargée d'un péché mortel ?

En un instant, la jeune fille se rappela leurs causeries, le cas qu'il paraissait faire d'elle, la manière dont on les avait parfois regardés tous les deux...

– Je n'étais qu'un paravent, se dit-elle ; il me faisait la cour pour masquer son accord secret avec elle... Quel jeu méprisable ! Et moi, pauvre folle, qui croyais... !

Sa colère immense, furieuse, tomba soudain à la voix de Paul qui parlait à son fils avec une tendresse indicible. Bébé s'était fait gronder ; la trempette du bouchon devait bien y être pour quelque chose, et le petit cœur tout gros, il promettait à papa de ne plus recommencer jamais, jamais !

– Bien sur ? disait le père d'un air grave, pendant que la tendresse et l'orgueil débordaient de ses yeux et de sa voix.

– Ah ! s'il m'avait jamais parlé ainsi ! se dit Camille. Malheureuse que je suis ! Je l'adore !

– Alors, reprit Claire, quand la paix fut faite avec Bébé, tu crois, Camille, que pour être bon, il faut se rendre malheureux volontairement ?

À cette question directe, Camille hésita un instant.

– Ceux qui savent s'imposer des privations, répondit-elle lentement, sont meilleurs que ceux qui vivent uniquement d'une vie matérielle.

– Meilleurs, mademoiselle Camille, ou seulement supérieurs ?

Paul avait fait cette question d'un ton négligent, comme s'il n'y attachait point d'importance ; la jeune fille s'y laissa prendre.

– Supérieurs, certainement ; meilleurs, pourquoi non ?

– Et la modestie, Camille, qu'en faisons-nous ? s'écria Claire en riant ; je t'ai dit que tu étais une orgueilleuse ! Voilà que tu nous es supérieure parce que tu n'aimes pas le poulet ; et probablement, par-dessus le marché, tu es meilleure que tous ceux qui mangent des petits pois ! meilleure que mon gros bébé ! Pour cela, par exemple, je le nie ! Il n'y a rien au monde de meilleur que ce profond scélérat !

Elle appliqua un baiser sur la joue rebondie du scélérat, qui regarda Camille dans le blanc des yeux d'un air de triomphe, brandit sa fourchette vers elle et lui fit d'un ton indigné :

– Hou !

Les deux époux éclatèrent de rire. Camille sourit et garda le silence ; elle trouvait tout cela parfaitement ridicule.

– Est-il possible, pensait-elle, de s'abêtir ainsi ! Les jeunes mères ont le droit d'être aussi sottes qu'il leur plaira, mais elles devraient garder leurs épanchements pour l'intimité !

L'infortunée ne voyait pas qu'en l'admettant à cette intimité, Claire lui donnait la meilleure preuve d'amitié et de confiance ; mais elle ignorait tout du sentiment maternel, elle ne pouvait comprendre qu'il rendît l'âme si généreuse et si facile à l'épanchement ; elle ne savait pas et ne pouvait jamais savoir qu'une mère est mère partout et pour tous ; que tous les enfants sont regardés par elle avec d'autres yeux qu'avant, qu'elle aura désormais des craintes pour les enfants d'autrui qu'elle n'avait jamais soupçonnées, que la maternité la rendra indulgente même pour les erreurs des hommes, parce qu'elle se dira que son enfant à elle, mal dirigé, serait peut-être dans l'avenir aussi sot et aussi cruel !

Il y a des femmes qui sont nées mères, d'autres qui le deviennent, d'autres, hélas ! qui ne le seront jamais, dussent-elles avoir dix enfants ! Camille était de ces dernières.

Le dîner fini, les convives retournèrent au salon café au lait, dont les fenêtres ouvertes laissaient entrer la bonne odeur des feuilles, la fraîcheur de la fontaine du Châtelet, la lumière du soir adoucie et tamisée par les bruits joyeux de la place : sonnette du marchand de coco, offres de billets à bon marché pour les deux théâtres, rumeurs des queues qui se pressaient à la porte des spectacles, foule bruyante et satisfaite du dimanche.

Paul s'accouda à une fenêtre pour y fumer son cigare, et les deux femmes s'assirent dans l'autre embrasure sur des sièges bas et commodes ; Claire, pour leur faire place, fit rouler à l'intérieur une jardinière pleine de fleurs, écarta un fauteuil et repoussa les plis épais des rideaux brochés.

– Que de meubles, mon Dieu, et que d'embarras ! ne put s'empêcher de dire Camille quand son amie eut fait place nette pour s'asseoir.

– Oui, mais c'est si joli ! répondit la jeune femme. Je ne connais pas de plus grand plaisir que d'habiter un appartement bien meublé, bien organisé, où tout vous vient sous la main de soi-même, où l'on trouve tout ce qui peut être utile ou seulement faire plaisir.

– Que d'ennuis et d'embarras !

– Mais non !

– Et quand on déménage ?

– Ah ! reprit Claire en souriant, je ne sais point prévoir les malheurs de si loin. Laisse-moi espérer que je ne déménagerai pas ! Nous avons choisi cet appartement sur cent mille ! Il est un peu trop cher et un peu trop grand pour nous ; mais pour le prix, nous avons réalisé d'autres économies, et pour l'espace... on ne sait pas ce qui peut arriver ! S'il nous venait d'autres enfants... – Ah ! tu sais ! je n'ai fait aucun vœu, moi ! Si, cependant, j'ai fait le vœu d'aimer mon mari, et ce n'est pas cela qui pourra jamais empêcher l'appartement de devenir trop petit. Ma pauvre Camille, je te scandalise, – on doit être plus réservé dans ses propos en présence des jeunes filles, n'est-ce pas ? Mais, après tout, il me semble que je ne dis pas d'énormités ?

– Des énormités... non ! mais il n'est pas nécessaire de me parler des choses qui ne me regardent pas...

– Voyons, Camille, ne sois donc pas bête comme cela ! Y a-t-il rien de plus naturel au monde que la famille ? y a-t-il rien de plus sacré ? Je t'assure que moi, je ne suis pas si prompte à rougir ! Quand je vois passer une femme avec un homme qui porte l'enfant dans ses bras, je me dis : Voilà d'heureuses gens ; elle a un bon mari, le petit est bien soigné ; puissent-ils avoir d'autres enfants qui seront bien élevés et qui deviendront beaux et bons ! Est-ce que cela n'est pas tout simple ? Nous avons des petits enfants, Camille, nous avons eu des frères et des sœurs ? Pourquoi mon fils n'en aurait-il pas aussi ? Il le mérite bien, je t'assure !

Paul quitta sa fenêtre et se rapprocha des jeunes femmes ; le petit garçon vint s'appuyer sur son genou et s'efforça d'y grimper.

– Que veux-tu ? demanda le père.

– À dada ! répondit aussitôt le petit.

– C'est l'heure de la cavalcade, mesdames, annonça le jeune homme. Vous allez voir comment on monte à cheval chez nous.

Félix commença sur le genou de son père tous les exercices de haute école auxquels sa jeune échine pouvait se plier ; au bout d'un moment, il y joignit ceux du trapèze à l'aide des bras et des épaules de son père.

La nuit était venue, mais le cordon de gaz des théâtres éclairait si bien l'appartement qu'une lampe n'eût pas servi à grand-chose ; la belle figure de Brécart et sa stature élégante se dessinaient admirablement sur le fond obscur ; il riait de tout son cœur avec son fils qui répondait à ses plaisanteries et qui le provoquait à tout moment ; debout, assis, à quatre pattes, ils firent leur partie de jeu de tous les soirs ; quand ils furent las tous les deux, l'enfant vint se blottir sur les genoux de sa mère, et Paul se rapprocha de la fenêtre ; ses vêtements en désordre, sa chevelure ébouriffée lui donnaient une apparence moins sérieuse et plus jeune. Camille le revit tel qu'elle l'avait connu, et le cœur lui battit avec une sorte d'effroi.

Il parlait bien et de tout ; sa conversation, solide avec ses pareils, savait se prêter aux facultés de ses interlocuteurs ; il sut amuser et intéresser Camille pendant une heure ; suspendue à ses lèvres, elle ne savait pas ce qu'il lui disait ; la musique de sa voix, la grâce de son discours suffisaient à la charmer. Puis un silence se fit soudain.

– Dort-il ? demanda le jeune père, rentrant ainsi dans sa vie de famille.

– Comme un plomb ! répondit sa femme. Fais-moi de la place pour que je l'emporte.

– Il est trop lourd, insista Paul ; donne-le-moi, je vais le coucher.

Il cueillit l'enfant dans ses bras et l'emporta délicatement dans une autre pièce. Comme il ne revenait pas au bout de quelques minutes, Camille fit un violent effort.

– Il faut que je m'en aille, dit-elle.

– Déjà ? Il n'est pas dix heures !

– On se couche de bonne heure chez nous, répondit Camille. Je m'en vais.

– Pas toute seule ! Un dimanche soir ! Il y a tant de monde dans les rues, et de toutes les espèces !

– J'ai l'habitude de sortir seule, je n'ai pas peur ; adieu.

Elle tendait la main à son amie, mais Claire insista.

– Mon mari va te reconduire ; attends qu'il ait couché Bébé, ce ne sera pas long.

Camille se rassit. L'idée de voir encore Brécart la laissait sans défense. Au bout d'un moment il rentra ; sa femme lui annonça qu'elle avait disposé de lui, et aussitôt il prit son chapeau pour sortir.

– Au revoir, dit Claire en embrassant la jeune fille. Viens quand tu voudras, à l'heure du dîner ; nous ne sortons jamais, moi du moins ; mon mari dîne quelquefois en ville, mais le moins qu'il peut.

Comme elle leur ouvrait la porte de l'escalier, Paul se pencha sur sa femme et l'embrassa au front.

– À tout à l'heure, lui dit-il, et il sortit suivant Camille.

– Vous vous dites adieu pour une si courte séparation ? lui demanda celle-ci au moment où ils mettaient le pied dans la rue.

– Quand ce ne serait que pour aller à la cave ! répondit le jeune homme ; on ne sait qui vit ni qui meurt, et ce serait si dur de ne pas s'être embrassé si l'on ne devait pas se revoir ! Voulez-vous prendre mon bras, mademoiselle ?

Camille passa silencieusement son bras dans celui de Paul, et ils s'en allèrent ainsi le long du quai.

V

La Seine coulait rapidement entre ses hautes berges, avec des remous de moire sombre où les réverbères mettaient çà et là des paillettes et des traînées lumineuses ; les bateaux-mouches allaient et venaient comme de gros animaux fantastiques, quittant et abordant les pontons avec une activité lourde et régulière, et leurs lanternes blanches ou rouges se réfléchissaient au loin sur le fleuve avec des clartés de feux de Bengale. Ce Paris fluvial, banal le jour, prend le soir des apparences mystérieuses ; au travers des arceaux des ponts de fer, sous les lourdes arches des ponts de pierre, s'allongent des ombres qui semblent se prolonger jusqu'à l'infini ; les masses d'architecture se découpent massives sur le fleuve presque phosphorescent, et par-dessus tout cela les grands peupliers des berges dressent leurs pyramides épaisses de verdure noirâtre. À mesure qu'on s'éloigne du pont Neuf en remontant la Seine, un calme relatif s'établit, la navigation est plus rare, les rives moins larges, on ne rencontre plus tant d'arbres, et le mystère disparaît.

Cependant, le long des quais de l'île Saint-Louis, les vieilles maisons dressent leurs façades silencieuses et massives ; leurs pignons bizarres, percés de fenêtres irrégulières, s'étoilent le soir de lampes modestes ; les travailleurs de la nuit, ceux qui ont besoin de repos et de silence, aiment ces heures et ces maisons tranquilles : la mélancolie semble avoir élu son domicile dans cette sorte d'oasis, la seule que le bruit et le mouvement de la grande fourmilière lui aient ménagée.

Paul Brécart parlait à Camille de mille choses modernes, et elle, ne pensant qu'au passé, elle lui répondait d'une façon distraite, pendant que sur ses lèvres se pressaient des questions brûlantes. Enfin, la traversée d'une rue ayant coupé le fil de leur conversation, après un court silence elle parla.

– Vous êtes heureux, monsieur Paul ? lui dit-elle d'une voix basse et presque tendre.

Le jeune homme la regarda attentivement à la lueur d'un réverbère ; le beau visage aux traits réguliers, un peu froids, conservait sa placidité ordinaire, et cependant il sentait un instinct de réserve arrêter sur ses lèvres l'élan de confidences prêt à jaillir. Il y a des moments dans la vie où, sans que rien puisse le justifier, un besoin de prudence vous saisit et vous glace ; on regarde autour de soi, et souvent on aperçoit un danger caché que rien ne faisait prévoir.

– Nous sommes parfaitement heureux, répondit-il avec calme.

– Je n'aurais jamais cru que Claire fût la femme qui vous convenait, reprit Camille, poussée malgré elle à se trahir ; vous étiez enthousiaste, un peu poète, un peu peintre, très musicien ;... vous aimiez les choses grandes, les entreprises hardies... Votre instinct vous poussait vers les sommets... J'avais toujours pensé que vous épouseriez une héroïne de roman !

La main qui reposait sur le bras de Brécart trembla légèrement à ces derniers mots prononcés d'un ton ironique.

– Ma femme, dit-il gravement, est l'héroïne de mon roman !

– Parfait ! s'écria Camille en éclatant de rire ; on ne saurait mieux répondre à une question indiscrète. Je vous remercie de la leçon, monsieur ; elle est gracieusement donnée, mais c'est une leçon. Après tout, il se peut que je l'aie méritée.

– Mademoiselle...

– Ne vous défendez pas ; je l'avais méritée assurément ! Sans quoi, un homme aussi parfaitement élevé me l'eût-il infligée ? D'ailleurs, je ne vous en veux pas.

– Si vous l'avez méritée, mademoiselle, vous avez quelque grâce à ne pas m'en vouloir, car ce sont les ennuis mérités qu'on pardonne le moins.

– Toujours philosophe ! explorateur du cœur humain ! vous êtes bien le même, monsieur Brécart. Eh bien ! au risque de vous déplaire encore une fois, je réitérerai ma remarque ; je ne puis comprendre que vous ayez épousé Claire, à moins que ce ne soit pour sa beauté ! Elle était extrêmement jolie. Son seul défaut, à ce que j'aurais cru du moins, était d'être riche. Vous avez tant chanté les douceurs de la pauvreté.

– Je suis riche aussi, répondit gaiement le jeune ingénieur. Savez-vous que je gagne plus de quinze mille francs par an ? C'est moi qui suis le Crésus à présent ; la dot de Claire n'est plus qu'un appoint ; mon beau-père n'en revient pas !

– Ah ! vous êtes si riche ? murmura Camille.

Le sentiment qu'elle éprouvait à cette nouvelle n'était pas de l'envie, mais une sorte de tristesse ; la différence de fortune était une séparation de plus entre elle et ces gens heureux.

– Oui, reprit Paul, et je vous assure que nous nous en arrangeons fort bien. La pauvreté est très poétique dans les romances ; mais, dans la réalité rien n'est plus prosaïque, je vous le jure !

– Pourtant, répondit Camille en relevant fièrement la tête, celui qui se trouve riche avec peu est plus libre et plus heureux que celui qui a besoin de luxe !

– Ah ! mademoiselle Camille, les théories ! Méfiez-vous des théories ! Il n'est rien au monde de plus fallacieux.

Ils étaient arrivés devant la porte des époux Frogé ; Camille dégagea son bras, remercia M. Brécart et disparut sous la porte, Paul alluma un cigare et s'en retourna chez lui, du pas leste d'un homme débarrassé. Tout en arpentant les quais, il repassait dans sa mémoire la singulière conversation qu'il venait d'avoir avec la jeune fille, et il resta perplexe : était-ce un esprit faussé ou simplement une âme aigrie ? Les souvenirs qu'il avait d'elle étaient fort lointains et assez vagues. Dans le temps où il l'avait connue, préoccupé uniquement de deux idées qui n'en faisaient qu'une : obtenir la position qui lui permettrait d'épouser Claire, et cacher son amour à tous les yeux, – il avait vécu comme dans un rêve et participé à l'existence des autres à peu près comme le spectateur participe à la vie des comédiens qui représentent une pièce devant lui ; encore était-il bien loin d'y prendre tant d'intérêt. Ne se croyant pas digne d'attention, il ne s'était jamais demandé ce que pensaient de lui les êtres que son sort ne touchait pas directement ; aussi trouvait-il singulier que cette jeune fille le connût si bien, eut gardé de lui un souvenir si net, quand il la croyait uniquement l'amie de sa femme. Mais après tout, l'existence de Camille lui importait peu, et, en arrivant chez lui, il pensait à toute autre chose.

Il trouva sa femme assise auprès du petit lit de Félix, qui dormait profondément ; une lampe, voilée par un abat-jour, jetait une clarté douce et paisible sur les objets familiers et charmants de cette chambre aimable. Les rideaux semés de fleurs des champs, les fauteuils commodes, les glaces qui réfléchissaient mystérieusement les dorures éteintes par le demi-jour, ce berceau drapé de blanc et de rose, cette jeune et charmante femme qui avait quitté sa toilette de jour pour un peignoir garni de broderies flottantes, et surtout cet enfant qui dormait de toutes ses forces, les petits poings fermés, le visage rosé par le sommeil, l'ombre de ses longs cils formant une raie noire sur ses joues rondes et fermes, tout cet ensemble mit au cœur de Brécart la joie intense et inexprimable du père de famille. Il se pencha sur Claire, qu'il pressa longuement contre son cœur, effleura d'un baiser les cheveux bouclés du dormeur, qui fit le geste de chasser une mouche, et s'assit auprès de sa femme, dont il garda la main dans la sienne.

– Qu'est-ce qu'elle t'a dit ? demanda celle-ci d'un air à moitié endormi, en déposant le livre qu'elle lisait.

– Rien d'intéressant ; elle est un peu... un peu... dis-moi donc ce qu'elle est un peu, tout seul je ne trouverai pas le mot.

– Elle est un peu vieille fille, répondit Claire, et ce n'est pas sa faute, après tout ; elle n'a jamais été heureuse, et ne paraît pas en train de le devenir ! J'ai pitié d'elle ; au fond, ce n'est pas sa faute si...

Elle regarda longuement son mari avec une indicible tendresse, et l'attirant plus près d'elle :

– Sais-tu, dit-elle à voix basse, ce qu'on disait à Saint-Martin après son départ pour Paris ?

– Non, fit le jeune ingénieur en levant les sourcils d'un air interrogateur.

Claire sourit et passa ses doigts effilés sur la joue de son mari :

– Vous êtes le plus grand destructeur de murailles qui ait jamais existé, dit-elle ; vous fondez jusqu'aux murailles de glace.

– Est-ce de ton cœur que tu parles ? demanda Paul en souriant.

– Non, le mien n'était pas en glace, il était en feuilles de rose, et vous y êtes entré sans coup férir ; mais on disait à Saint-Martin que Camille aimait quelqu'un qui ne l'aimait pas, qui ne s'en était jamais douté...

– J'espère bien que ce n'est pas moi ! s'écria Brécart en bondissant.

– Chut ! fit sa femme en mettant un doigt sur ses lèvres, tu vas réveiller Bébé ! C'était toi-même.

– Au diable les cancans de province ! répliqua Paul en se

rasseyant ; quelle est la vieille imbécile qui a inventé cela ?

– C'est tout le monde en général et chacun en particulier. Tu ne t'en étais jamais aperçu ?

– C'est-à-dire qu'à l'heure présente, je n'y crois pas ! répondit le jeune homme d'un ton bourru.

– Triste vérité ! Il faudra cependant y croire ; car pour moi, ce n'est pas douteux. Je t'avouerai même, mon cher mari, que l'un de mes triomphes a été de me voir préférée à elle ; tu étais si assidu, elle était si jolie que je t'en croyais bel et bien amoureux. Juge de ma joie lorsque j'ai appris que c'était moi l'élue !

Les yeux rayonnants de Claire cherchaient ceux de son mari, qui la baisa au front avec tendresse.

– Pourquoi m'as-tu dit cela ? reprit-il après un silence.

– Il m'a semblé que tu devais le savoir ; est-ce que tout ne doit pas être clair entre nous ? Ne sommes-nous pas convenus de nous dire tout sans exception ?

– Mais, ma petite femme, fit observer Brécart, c'est le secret d'une autre que tu viens de me confier ?

– C'est aussi le nôtre, puisqu'il te touche, répondit simplement Claire.

Elle avait peur cependant d'avoir déplu à son mari, et pendant un moment elle interrogea le visage du jeune homme, plus grave et plus soucieux que de coutume ; il tourna enfin ses yeux pleins de douceur sur la compagne de sa vie.

– Je crois, dit-il, que, malgré tout, tu as bien fait de me le dire : je serai plus prudent, mais tu aurais dû me prévenir avant de l'inviter ; il eût peut-être été plus sage de ne pas renouer des relations plus qu'à demi rompues...

– Nous l'aurions rencontrée un jour ou l'autre, fit observer la jeune femme ; c'était inévitable... N'est-ce pas, Paul, que c'est bon d'avoir confiance l'un dans l'autre, de tout se dire, de partager les mêmes idées, les mêmes amitiés ?... Je l'aime au fond, cette singulière Camille ; c'est ma plus ancienne amie ; et puis, sais-tu, elle est très bonne ! À Saint-Martin, c'est elle qui veillait les malades, qui ensevelissait les morts ; elle a fait bien des charités que personne n'aurait faites, pas même les sœurs de l'hospice ! Son père lui laissait beaucoup de liberté, et elle travaillait pour les pauvres ; on ne se figure pas la quantité de petits bas que je lui ai vu tricoter un hiver qu'elle avait des engelures, et que chaque maille lui causait une douleur !

– Elle aimait cela, je présume, répondit tranquillement l'ingénieur.

– Oh ! Paul, voilà une méchanceté !

– Mais non, ma chère ! Quand un être doué de raison s'acharne à faire une chose qui lui nuit, sans qu'il y ait de nécessité absolue, c'est qu'il y trouve une satisfaction quelconque.

– Cela va sans dire ; mais c'est une satisfaction morale, celle de faire le bien...

Paul secoua la tête ; il avait encore quelque chose à dire, mais il préféra le garder pour lui.

– Tu n'as pas l'air convaincu, insista sa femme ; dis-moi tout ce que tu penses, tu sais que c'est convenu !

– Eh bien, si tu veux le savoir, je pense que c'est là une affaire de nerfs et d'orgueil à la fois. On travaille avec des engelures parce que les nerfs surexcités ont besoin de mouvement, et l'on a le plaisir de se trouver supérieur au reste de l'humanité, parce qu'on se compare aux martyrs ; on fait ainsi ce que tout le monde ne peut ou ne veut pas faire, et l'on prend en pitié les gens méprisables, comme toi et moi, qui mettent de la glycérine sur leurs engelures, et qui aiment les petits pois... Affaire de nerfs et satisfaction d'orgueil !

Claire garda le silence. Au bout d'un moment, elle reprit d'une voix timide :

– Paul, si Camille te déplaît, je ne l'inviterai plus ; rien n'est plus facile, et je ne voudrais pas t'exposer à rencontrer chez nous une figure antipathique...

La forme svelte, les traits de statue, le sourire sardonique de Camille passèrent rapidement devant les yeux du jeune homme.

– Mais elle ne m'est pas antipathique, ma chère petite femme ! Elle est fort bonne à voir ; je la trouve curieuse et originale, très amusante à étudier avec cela. Seulement je ne m'associe pas à l'idée de la haute perfection que tu lui prêtes ; c'est une faible mortelle comme nous, et qui sait ? peut-être plus faible que nous !

VI

M. et madame Frogé furent bien étonnés cette semaine-là, car ils reçurent des visites, et cependant ce n'était ni l'époque de leur fête, ni celle du jour de l'an.

Une après-midi, vers cinq heures, comme Sébastien Frogé, rentrant de sa promenade habituelle, déposait son chapeau sur le meuble depuis vingt-cinq ans consacré à cet usage, on sonna, et Gustave Mirmont fit son entrée, sans être annoncé par la bonne, grosse Champenoise qui de sa vie n'avait entendu parler d'annoncer les gens.

– Monsieur Mirmont ! s'écria l'ex-professeur ébahi, vous avez pris la peine...

– Dites le plaisir, mon cher maître, fit Mirmont épanoui comme un bouquet de roses, – le plaisir de monter pour savoir de vos nouvelles. En général, on ne se voit pas assez en ce monde ; mais voici que de nouvelles relations vont me procurer le plaisir de passer souvent devant votre porte, et au risque d'être indiscret...

– Jamais, jamais indiscret, mon cher monsieur, toujours le bienvenu, n'est-ce pas, Belle ? interrompit joyeusement Sébastien en se tournant vers sa femme.

Belle était un peu contrariée d'être surprise en bonnet de tous les jours par ce visiteur haut placé ; mais il paraissait ne pas remarquer son bonnet, et elle se consola rapidement. Mirmont parlait de choses extraordinaires ; il croyait au succès de l'Exposition projetée. Il avait visité les travaux et assurait que tout marchait ! Sébastien, qui avait lu le contraire dans son journal le matin même, avait quelque peine à l'en croire, malgré la haute opinion qu'il professait pour son ancien élève, et il lui semblait bien que celui-ci n'apportait pas en cette occurrence la sûreté ordinaire de son jugement supérieur.

– Si cela vous intéresse, ajouta Mirmont comme argument décisif, je pourrai vous faire entrer pour voir les travaux ; vous ne verrez pas quelque chose de bien intéressant, car ce n'est encore que la terre remuée, mais enfin vous ne direz plus qu'on n'a rien fait.

La proposition paraissait alléchante, l'enceinte des travaux étant interdite au public, et les yeux de Belle brillèrent de plaisir.

– Je vous enverrai un permis, conclut Mirmont ; bien entendu, vous pourrez amener avec vous mademoiselle votre nièce, si vous le désirez.

– Je suis sûre qu'elle sera très contente ! s'écria Sébastien.

– Et même, reprit Mirmont, si vous vouliez bien me prévenir, quand vous aurez choisi votre jour, je pourrais me trouver là-bas, pour vous guider et vous donner quelques explications...

– Nous n'oserions jamais vous donner cette peine, murmura la tante Belle, rose de confusion.

– Ce sera un plaisir, je vous le certifie. Je dois trop à mon ancien maître pour ne pas trouver une profonde satisfaction à lui prouver ma reconnaissance ! répliqua M Gustave Mirmont avec une douceur exquise.

Il eut beau regarder la porte et rester jusqu'à six heures moins cinq, Camille ne parut pas ; il se décida à prendre congé, pensant que peut-être la jeune fille ne rentrerait pas pour dîner.

Comme il descendait le large escalier de pierre à balustres de cette antique demeure, construite à une époque où le terrain ne coûtait pas si cher qu'aujourd'hui, il entendit un pas pressé dans le vestibule ; il se pencha et aperçut la silhouette élégante de Camille.

Elle montait vite, s'étant un peu attardée dans ses courses, et arriva presque sur lui sans l'avoir vu. En apercevant une forme humaine si près d'elle, la jeune fille tressaillit et leva les yeux. Son regard rencontra celui de Mirmont, respectueux, tendre et décidé tout à la fois. Ce regard lui disait : – Je suis venu pour vous et je reviendrai ; je ne sais pas encore ce qu'il faut faire pour vous plaire, mais je vous plairai, j'en suis sûr, car tous les moyens me seront bons.

Camille répondit par un petit salut sec à la profonde inclination qu'il lui adressait, pendant que son chapeau touchait les marches de l'escalier, et elle passa comme une souveraine devant son humble sujet.

Elle ne put s'empêcher de se retourner, cependant, lorsqu'elle eut atteint le palier, et ce mouvement, que Mirmont, connaisseur en fait de femmes, avait parfaitement prévu, lui fit perdre son avantage. Elle reçut en plein visage un autre regard qui signifiait : Vous êtes la plus forte, mademoiselle, grâce à votre sexe qui vous donne le pas sur le mien ; mais je suis le plus habile, et vous n'êtes après tout qu'une fille d'Ève ! Cependant, mademoiselle, veuillez me croire votre admirateur humble et dévoué.

Il acheva de descendre l'escalier pendant qu'elle achevait de le monter, et s'il s'en alla content, elle rentra chez ses parents très irritée, l'orgueil inquiet, et cependant sa vanité demeurant chatouillée par l'hommage de cet homme qui lui déplaisait.

Le dimanche suivant, le roulement d'une petite voiture troubla les échos endormis de l'escalier, puis une voix d'enfant claire et fraîche fit résonner du haut en bas la grande cage sonore, et pendant que la concierge étonnée se demandait chez lequel de ses vieux locataires pouvait aller toute cette jeunesse, madame Brécart, son fils dans les bras, sonna à la porte des époux Frogé.

Ce fut la tante Belle qui vint ouvrir, car c'était le jour de sortie de la bonne, et tout d'abord elle ne reconnut pas la jeune femme, qu'elle n'avait pas vue depuis dix ans au moins.

– Voilà ce que c'est, dit Claire en riant : la tante Belle ne sait pas qui je suis, et moi, je suis venue voir la tante Belle. Où est l'oncle Sébastien ?

– Claire, Claire Laugé ! s'écria enfin la bonne dame, mettant un nom sur ce visage oublié.

– Madame Claire Brécart, s'il vous plaît, avec son fils Félix, l'héritier de toute la gloire de son papa et de toutes les ambitions de sa maman. Embrassez-nous tous les deux, chère tante Belle, car nous vous aimons bien, allez !

Madame Frogé, que, lors de ses voyages à Saint-Martin jadis, tout le monde appelait la tante Belle, on ne sait pas pourquoi – peut-être à cause de sa bonté maternelle qui la faisait tendre pour les enfants des autres, à défaut d'enfants à elle, – madame Frogé se hâta d'appeler Sébastien et Camille.

Sébastien accourut, et, plus avisé, n'eut pas besoin de regarder deux fois la visiteuse pour la reconnaître ; il lui tendit les bras, et Félix se mit immédiatement à lui grimper aux jambes.

Camille se fit plus attendre ; elle consacrait l'après-midi des dimanches à lire des livres pieux, et pour rien au monde n'eut laissé la méditation commencée ; elle arriva enfin, embrassa son amie, dit bonjour à l'enfant sans lui faire de caresses, – ce dont le sage garçon se garda bien de se plaindre, – et aussitôt une sorte de brouillard sembla s'étendre sur la petite société. Camille était trop parfaite pour prendre aux faiblesses humaines l'intérêt que les deux dames portaient à cent détails futiles. Que lui importaient les menus cancans de Saint-Martin ? Les morts ou les mariages de ce trou de province, où elle avait passé les premières années de sa vie, n'avaient point d'importance pour elle ; son esprit, qu'elle s'efforçait sans cesse d'élever vers la perfection, était au-dessus de ces frivolités, et l'on cessa d'en parler.

Cependant, comme madame Frogé et Claire elle-même étaient aussi incapables l'une que l'autre d'entretenir une conversation appropriée à la gravité du dimanche, la jeune femme prit bientôt congé de ses amis, non sans leur avoir fait promettre de dîner chez elle le jeudi suivant.

– Tu viendras aussi, bien entendu, dit-elle à Camille ; nous tâcherons de faire une partie de bouillotte après dîner, n'est-ce pas, monsieur Frogé ? Vous voyez que je connais encore vos goûts !

Elle s'en alla ; le bruit de la petite voiture se fit entendre sur les dalles du vestibule, et les deux vieillards se regardèrent en souriant ; il leur semblait qu'un rayon de soleil avait visité leur maison : leurs yeux se reportèrent sur Camille, et la tiédeur, la lumière de ce rayon s'évanouirent aussitôt.

– Quelle aimable femme ! ne put cependant s'empêcher de dire Sébastien, encore sous le charme.

– Oui, mais bien frivole ! répondit Camille.

– C'est de son âge ! dit madame Frogé, sentant le besoin d'excuser cette frivolité charmante, qui lui paraissait très vénielle.

– Nous sommes à peu près contemporaines, fit observer la jeune fille d'un ton froid. Je regrette que les années et le mariage n'aient pas apporté à Claire un sentiment plus vif de ses devoirs et de sa responsabilité.

Le rayon de soleil avait tout à fait disparu ; les époux consternés échangèrent un coup d'œil. Camille était si parfaite qu'en effet elle avait le droit d'être sévère ; cette petite madame Brécart n'aimait pas les conversations sérieuses, mais elle avait pourtant l'air d'une bonne mère et semblait adorer son mari... et madame Frogé proposa un tour de promenade pour changer le cours de leurs idées.

Camille sut se dispenser de la visite au Trocadéro, dont ses parents rapportèrent une forte courbature et beaucoup de terre glaise à leurs chaussures ; Mirmont, qui les avait promenés dans tous les endroits inaccessibles au public, rapporta de son côté une colère concentrée contre cette péronnelle qui lui avait fait perdre sa journée, et il se promit bien de le lui faire payer, quand il la tiendrait. Le dîner chez M. et madame Brécart eut lieu dans toutes les règles, et, en rentrant chez eux, les époux Frogé convinrent qu'ils ne pouvaient faire autrement que de rendre ce dîner, et par la même occasion d'inviter M. Mirmont, qui avait été si aimable pour eux.

L'annonce de cette résolution provoqua chez Camille ce qui chez toute autre eut été de la mauvaise humeur ; pour elle, ce fut une résignation pleine d'humilité à cette nouvelle épreuve de la destinée ; au fond, le nom était différent, l'effet fut exactement le même. Avec un visage résigné, elle aida sa tante à descendre des placards les plus lointains le beau service de porcelaine blanche à filets d'or, qui n'avait servi en tout que cinq fois ; elle essuya, pièce par pièce, les assiettes, les compotiers, les petits pots de crème et même leurs couvercles, avec l'apparence d'une vierge chrétienne marchant au supplice ; elle visita les magasins de cristallerie du faubourg Poissonnière pour appareiller le service de cristal, dont plusieurs pièces avaient disparu, de par cette loi mystérieuse qui veut que les verres dont personne ne se sert jamais s'évanouissent sans qu'on y ait touché, comme une vaine fumée ou une bulle de savon, plus vaine encore !

Elle aida sa tante à repasser le beau linge damassé jauni par l'âge et à faire des corbeilles avec les serviettes pour y placer les petits pains ; elle se rendit à la Halle avec la bonne pour s'assurer que le poisson serait bien choisi ; mais elle refusa obstinément de mettre les pieds dans la cuisine.

– Il me semble, cependant, disait sa tante désolée, que tu pourrais bien me dire s'il faut ajouter du sucre aux petits pots de crème et si le court-bouillon des écrevisses est assez épicé !

– Je n'entends rien à ces choses-là, ma tante, répondit avec fermeté notre héroïne ; ne me faites pas faire ce qui n'est pas de ma compétence.

Madame Frogé, pour la première fois, se demanda si Camille était aussi parfaite qu'elle l'avait cru jusqu'alors. Mais ce n'était pas le moment de discuter une question aussi grave : la crème n'attend pas, et les écrevisses réclamaient impérieusement leur court-bouillon ; l'excellente femme remit à des temps plus opportuns la solution du doute qui venait de s'élever dans son esprit.

Au moment de mettre le rôti devant le feu, madame Frogé regarda autour d'elle et se vit toute seule. Sébastien venait de partir à la hâte pour rappeler au pâtissier une commande oubliée ; la bonne était allée chercher la salade, à laquelle personne n'avait pensé ; la concierge, investie du tablier pour la circonstance, était allée donner un coup d'œil à sa loge ; après tant de tumulte, cet isolement parut singulier à la vieille dame.

– Où donc est Camille ? se demanda-t-elle. Il y a cent choses à faire, et me voilà toute seule...

Elle passa dans la salle à manger. Là, rien n'était plus à faire ; le couvert symétrique était irréprochable ; le coup d'œil de la maîtresse de maison s'assura que personne n'aurait fait mieux ni plus correctement. Mais où donc était la jeune fille ?

– Camille, cria la bonne dame, où es-tu ?

– Dans ma chambre, ma tante ! Je m'habille !

C'était son droit ; madame Frogé poussa un soupir et retourna à son laboratoire. Ah ! si elle avait eu une fille ! Camille était bien gentille, parfaite de tout point ; mais elle n'aimait pas la cuisine ; elle n'aimait pas non plus à nettoyer les bronzes ni à passer les meubles à l'encaustique ! Si madame Frogé avait eu une fille, elle lui eut enseigné les deux ou trois cents recettes qui avaient fait de M. Frogé le plus gourmand des professeurs, et de son appartement le plus séduisant des sanctuaires domestiques ! Comme la pauvre Belle poussait son second soupir, ses acolytes rentrèrent, et l'activité la plus fiévreuse régna dans le laboratoire.

On sonne ! Et la tante Belle est encore revêtue des insignes du cordon bleu ! Qui va recevoir ses hôtes ? Par bonheur, au moment où la bonne effarée ouvre la porte, sur le seuil du salon apparaît Camille, Camille avec une rose rouge dans les cheveux, une autre douillettement couchée dans les dentelles de son corsage, pas mal échancré... Camille décolletée ! On voit pour la première fois le cou blanc et les bras élégants de Camille. Avant que la tante Belle, qui regarde par la fente de la porte de la cuisine, ait eu le temps de frotter ses yeux éblouis, le salon s'est refermé, et Gustave Mirmont a suivi mademoiselle Frogé.

Pendant que les derniers préparatifs s'achèvent et que la tante Belle esquisse en hâte une toilette de cérémonie, M. Mirmont n'a pas perdu son temps. Non qu'il ait fait de grands frais d'éloquence, car, après leur conversation muette dans l'escalier, le dialogue n'était pas très aisé pour ces deux personnages, mais que de regards pleins d'une admiration aussi vive que respectueuse sur les deux roses et leurs appartenances !

Il fallait parler cependant ; c'est ici que la diplomatie fit ses preuves

— Vous devez être bien heureuse, mademoiselle, glissa insidieusement l'ancien élève de M. Frogé.

Le regard de Camille indiqua sans détour que, ne se croyant point si particulièrement favorisée de la Providence, elle attendait une explication.

— Vous avez retrouvé ici une amie d'enfance ? continua Mirmont.

— Ah ! oui !... Camille laissa tomber ces deux mots avec un suprême dédain.

— Vous vivez très retirée ; ce sera peut-être pour vous une occasion de rentrer un peu dans le monde, ce monde où vous seriez si fêtée, mais que vous dédaignez.

— Je ne le dédaigne pas, répondit froidement Camille. Le monde et moi n'avons rien à nous dire.

— C'est votre opinion, ce n'est pas la nôtre, répliqua galamment le fonctionnaire.

Camille indiqua d'un geste que cela lui était bien égal.

— Fort bien, pensa Mirmont ; mais pourquoi ces deux roses rouges dans ces cheveux bruns et sur cette peau blanche ?

Comme il se posait cette question, la sonnette retentit ; Camille, qui connaissait le nombre borné des convives, put se défendre de tressaillir, mais elle ne put empêcher le sang de descendre de ses joues pour y remonter vivement l'instant d'après.

— Celui qui va entrer la tient au cœur ! se dit Mirmont, et, avec une indicible curiosité, il attendit le nouvel arrivé. Ô surprise ! Claire

Brécart entra vêtue d'une robe de laine toute simple, mais jolie comme un pastel de Latour, et portant une grosse gerbe de fleurs.

– Bonjour, dit-elle à Camille, tout en jetant un petit salut en réponse à la majestueuse inclination de Mirmont ; je parie que tu n'as pas de fleurs dans la salle à manger ? Ne dis pas non, ce serait un mensonge.

– Je ne mens jamais, proféra dignement Camille.

– Moi non plus ; donc il n'y a pas de fleurs dans la salle à manger ; je te connais, il y aura des hors-d'œuvre choisis, mais pas de bouquets ; les bouquets sont une inutilité, un luxe malsain, – pas parce qu'ils donnent mal à la tête, toutefois, – mais parce que c'est un luxe.

Camille écoutait ce discours, ou plutôt n'écoutait pas ; les yeux tournés vers la glace qui faisait face à la porte d'entrée, elle se demandait si par hasard Claire serait venue seule... Tout à coup, elle reprit à deux fois sa respiration, et Mirmont, qui tout en feuilletant un album la regardait innocemment, aussi dans la glace, ne put s'empêcher d'avouer que celui qui entrait était un bien beau garçon.

– Bonsoir, mademoiselle, dit à Camille le nouveau venu.

Avant que Mirmont stupéfait eût pu se demander pourquoi il ne disait rien à la jeune femme, celle-ci l'apostropha vivement :

– Paul, je parie que tu as oublié les roses mousseuses ?

Pendant qu'il retournait chercher les roses dans l'antichambre où il les avait laissées, Mirmont promenait ses regards de l'une à l'autre des deux amies.

– C'est le mari de l'autre ! se dit-il, voilà une aventure ! La seconde réflexion fut moins morale que philosophique. – L'heureux gaillard, se dit-il, aimé de ces deux jolies femmes ! Sont-elles assez jolies toutes les deux ! Il y a des gens qui ont de la chance !

M. et madame Frogé se précipitèrent ensemble dans le salon, s'excusant d'être en retard, et Claire profita des présentations pour aller disposer ses bouquets dans la salle à manger.

– Je savais bien, se dit-elle en promenant son regard satisfait sur les roses qui s'épanouissaient, grâce à elle, dans des coupes de cristal aux deux bouts de la table ; je savais qu'il n'y aurait pas de fleurs ici ; Camille est trop austère... Tiens ! elle a mis des fleurs sur elle... C'est bien la première fois de sa vie... Est-ce que ce serait pour ce monsieur ?... Ah ! si on pouvait la marier ! Je serais bien contente !

En terminant cette réflexion, Claire prit deux roses mousseuses et les planta n'importe où, après quoi elle rejoignit les autres.

Le dîner fut excellent, tout marcha à ravir ; une certaine crème au chocolat, disposée dans les légendaires petits pots, fit pâmer d'aise Mirmont, qui était moderne, mais qui était aussi fort gourmand.

– Est-ce assez bourgeois ! se disait-il en aparté, il n'y a plus qu'à l'île Saint-Louis et dans les environs de la place des Vosges que l'on trouve une crème aussi parfaite, et dans des petits pots, encore !

Quand les liqueurs eurent fait leur apparition, dans la cave à liqueurs, bien entendu, la compagnie passa au salon, et quelques *duos* succédèrent au *sextuor* du dîner. Claire, qui n'avait cessé d'observer Mirmont pendant le repas, s'approcha de la tante Belle, à moitié anéantie dans un fauteuil, et lui mettant la main sur l'épaule :

– C'est un prétendant pour Camille, ce beau monsieur-là ? lui dit-elle tout bas.

Madame Frogé tressaillit et la regarda tout effarée.

– Qui est-ce qui vous a dit ? commençait-elle. Mais le sourire et les bons yeux de Claire ne respiraient aucune malice.

– C'est bien facile à voir, ma bonne tante Belle, et vous ne l'avez invité que pour cela ; est-ce qu'il lui plaît ?

– Je ne crois pas, murmura piteusement madame Frogé.

– Et moi, je croirais assez que si ! répliqua la jeune femme en regardant à l'autre bout du salon.

Debout, Camille causait avec Mirmont, et si elle se montrait toujours dédaigneuse, elle ne semblait pas pour cela trouver le fonctionnaire indigne de sa conversation ; elle riait par moments et découvrait ses dents blanches, un peu trop aiguës, mais si bien rangées ! Sa main jouait avec les feuillets d'un livre, et son poignet blanc se détachait sur sa robe noire avec l'éclat d'une belle fleur d'arum.

– Je trouve même qu'elle est passablement coquette avec lui, conclut madame Brocart.

Camille coquette ! Madame Frogé regarda Claire avec

50/153

stupéfaction ; mais celle-ci parlait sérieusement. Elle reporta alors les yeux sur sa nièce ; en vérité, pour quiconque ne l'eût pas connue, Camille eût semblé coquette : elle avait une manière de baisser les yeux et de les relever en plein sur son interlocuteur, qui avait une ressemblance bizarre avec le manège ordinaire de la coquetterie ; mais Camille ! Elle était bien trop parfaite et méprisait trop les hommes pour qu'on pût la soupçonner d'une pareille inconséquence. C'est ce que madame Frogé expliqua à la jeune femme avec toutes les circonlocutions nécessaires.

Claire l'écoutait en souriant, et son regard, plein d'une innocente malice, se croisa avec celui de son mari, qui expliquait non loin de là à l'excellent M. Frogé le mécanisme compliqué des études de l'École centrale. Paul Brécart s'amusait : faire pénétrer les découvertes modernes dans une vieille âme aussi neuve que celle d'un ancien professeur de belles-lettres paraissait au jeune ingénieur une des choses les plus divertissantes qu'on pût imaginer. Enchanté de voir que sa femme avait aussi trouvé de quoi s'amuser, il lui adressa un signe d'amitié imperceptible pour tout autre et reprit le fil de son discours.

– Malheureusement, dit en soupirant madame Frogé, Camille a trop peu d'occasions de se produire dans le monde ; vous voyez ce monsieur, je pense qu'il a été frappé de sa beauté et de ses autres qualités ; eh bien, je ne puis pourtant pas l'inviter tous les jours, et comme il ne peut la voir que chez nous, cela va peut-être traîner longtemps ; vous savez, ma petite amie, je n'ai pas confiance dans les mariages qui ne se font pas tout de suite !

Claire eut un bon mouvement.

– Chère madame, dit-elle à la tante Belle, je comprends votre embarras, et si je puis vous venir en aide, je le ferai avec grand plaisir. Connaissez-vous bien ce M. Mirmont ?

Madame Frogé expliqua l'ancienne affection, les excellents rapports qui liaient Mirmont et son mari, et s'étendit sur les mérites du célibataire comme s'il avait été son pensionnaire depuis l'âge de sept ans et n'avait jamais quitté ses jupes maternelles.

Les gens qui ne connaissent rien du monde ont ainsi une facilité extraordinaire à prêter aux autres le caractère qu'ils leur souhaitent. Rien n'est plus dangereux, car rien n'est plus erroné que les renseignements ainsi fournis par des âmes simples qui voient dans les autres leur propre image. Dans la bouche des époux Frogé, Mirmont devenait l'homme modèle, le fonctionnaire admirable, le célibataire vertueux. On eût demandé à la tante Belle si Mirmont avait eu des maîtresses, qu'elle eut levé les mains vers l'empyrée avec une indignation sans bornes.

Madame Brécart, quoique jeune et vertueuse, par cela même qu'elle était femme et femme du monde, voyait un peu plus clair que la tante Belle. À la même question qui eût scandalisé la vieille dame, elle n'eût point levé les bras au ciel et se fût contentée de répondre par un sourire et un silence prudent ; mais sur les autres points, elle n'avait aucun motif pour récuser la compétence de sa vieille amie, et elle accepta M. Mirmont comme un homme accompli, d'une moralité irréprochable, ce qu'il était certainement, en tout ce qui ne touchait pas au beau sexe.

Quittant sans cérémonie madame Frogé, qui, d'ailleurs, tombait de sommeil, Claire se dirigea vers son mari, et, profitant du premier point et virgule qu'elle rencontra dans son discours, elle le prit à part. En deux mots, elle lui expliqua les espérances de la tante Belle, les vertus de Mirmont, la difficulté de marier Camille sans la faire voir un peu, la charité qu'il y aurait à lui prêter un appui moral, et par un plaidoyer à voix basse, aussi court que bien senti, elle enleva le consentement de Paul, un peu ahuri, à un projet qu'elle venait de former.

– Tout ce que tu voudras, je m'en rapporte aveuglément à toi !

Paul retourna au vieux professeur qui l'attendait avec impatience, désireux de « suivre le mouvement ». À vrai dire, le « mouvement » était en avant de vingt années, et quelles années ! les plus belles et les plus fécondes pour la science – sur les idées les plus nouvelles de l'excellent homme.

Il apprit ainsi d'un coup les découvertes de Claude Bernard, celles de Berthelot, celles de Pasteur, et dans un autre ordre d'idées les succès d'Émile Zola. À chaque trait de lumière, il répétait en frappant sa main droite sur son genou : – Mon Dieu, comme le siècle marche, comme il marche !

Mirmont avait fini par quitter Camille pour se rapprocher des deux dames, et, chose étrange, la jeune fille, qui se souciait peu de lui, ne se vit pas délaissée sans un mouvement de dépit ; quand il se fut assis auprès de Claire, elle ne put s'empêcher de se placer assez près pour entendre leur conversation.

Quelle conversation banale et frivole, et que cette Claire était insignifiante ! Il suffisait à un homme intelligent comme Mirmont, – car il était intelligent, c'était incontestable, – de se trouver auprès d'elle pour que l'entretien tombât aussitôt dans les vulgarités de la vie ou les futilités mondaines.

Ils parlaient du dernier roman de ***, un livre indigne, dont le titre seul avait fait baisser les yeux à Camille, qui naturellement le déclarait d'autant plus indigne qu'elle n'eût jamais voulu le lire, – des fontaines Wallace, de la salubrité publique, d'un opéra italien qui n'avait pas eu de succès, de Mounet-Sully dans le répertoire classique, de l'éléphant du *Tour du Monde*, et, par transition, du Jardin d'acclimatation et de l'intraitable Toby ; puis Toby et sa détestable jalousie mirent sur le tapis les différents systèmes d'éducation, et ne voilà-t-il pas que cette absurde Claire, foulant aux pieds la morale et le respect de la maternité, osa parler des défauts de son fils, comparés à ceux d'un jeune éléphant d'un caractère difficile ! Pour le coup, Camille n'y tint plus, et son regard plein de pitié se tourna vers le pauvre Paul, qui était si mal tombé dans le choix d'une compagne.

Paul n'avait pas l'air de se douter de son malheur ; bien éclairé par les bougies du piano et les lampes de la cheminée, il parlait avec animation ; il aimait la science, il l'aimait avec passion ; il la voyait chaque jour se développer et s'étendre avec la joie d'un père qui voit grandir son fils, avec celle d'un citoyen qui assiste à la gloire de son pays, avec quelque chose de plus large, de plus élevé, de plus impersonnel que tous ces sentiments, et que ceux-là seuls connaissent qui aiment la science et les hommes. Il en par- lait en fils dévoué, en amant passionné, et avec cette part de modeste orgueil que ressent l'ouvrier d'une grande chose, celui qui sait que son labeur est utile et comptera dans l'édification du temple. Il était beau en parlant de ce qui lui remplissait l'âme, et si Camille ne comprenait rien à ses paroles, elle ne put qu'admirer son éloquence et l'expression de son visage.

Les femmes admettent facilement que l'homme qu'elles aiment vivent dans un monde qui leur est étranger. Elles se contentent de la part qu'il leur donne, et lui permettent de passer le meilleur de sa vie dans un ordre d'idées qu'elles ignorent absolument. De là vient leur empire sur les dépravés, qui ne voient en elles qu'un délassement à leurs travaux d'un ordre plus élevé ; de là vient aussi leur faiblesse dans les moments où leur bonheur se trouve en balance avec le devoir ou l'intérêt des hommes. Que ne peuvent-elles savoir ce qu'elles perdent en dignité et valeur morale aux yeux de leur mari quand elles abdiquent le droit sacré de partager ses fatigues, ses travaux, ses peines, et aussi la récompense de ses peines !

Camille n'en cherchait pas si long ; que lui importait la science ? Et la philosophie, encore bien moins ! Les hommes s'occupaient de ces choses, et les femmes devaient les ignorer, par modestie, par pudeur féminine ; une femme très instruite, aux yeux de Camille comme aux yeux de beaucoup d'autres, était un peu déclassée et passablement blâmable. Le *devoir* d'une femme bien élevée est de ne pas chercher à s'élever au-dessus de son sexe.

Paul continuait à parler, et Camille à le regarder : la musique de cette voix virile la charmait jusqu'à l'extase. Que n'eût-elle pas donné pour l'entendre parler d'elle à elle-même, avec cette chaleur et cet enthousiasme ! Soudain arrêté par un défaut de mémoire, il s'interrompit, chercha dans sa tête, ne trouvant pas, et, impatienté, il jeta à sa femme :

– Claire, comment s'appelle le célèbre astronome russe, tu sais ?

– Struve, répondit tranquillement sa femme, en continuant la phrase qu'elle adressait à Mirmont.

– Struve, c'est cela ! Et Paul repartit de plus belle.

Camille resta rêveuse, bercée par cette voix aimée.

Claire s'occupait de ces choses ; elle savait les noms de ces gens. Ce ne pouvait être qu'un hasard ! On ne mêle pas ainsi les astronomes russes et les éléphants du Jardin d'acclimatation.

Mirmont observait les yeux de Camille, et se disait qu'elle était sérieusement prise ; le calme de Claire l'étonnait ; il ne pouvait s'expliquer qu'elle ne s'aperçût pas de ce que pensait son amie, et en même temps mille pensées indistinctes se mettaient à flotter dans son esprit. Enfin, Paul termina son discours, et Claire se leva pour partir.

– Vous dînez chez nous dimanche, dit-elle aux époux Frogé ; toi aussi, Camille. Mon mari a l'intention, monsieur, dit-elle à Mirmont, de vous prier d'être des nôtres.

Paul ajouta quelques mots, et Mirmont, poussé par un instinct de perversité, accepta sans vouloir se demander dans quel but on l'invitait. Il lui en eût trop coûté de s'avouer qu'on le regardait comme un prétendant, lui qui n'avait, à l'égard de Camille, que des intentions très vagues et jusqu'alors extrêmement peu matrimoniales. Il accepta, parce qu'une partie bizarre lui paraissait engagée entre ces deux femmes et qu'il était curieux d'en connaître le dénouement.

On se sépara, et notre fonctionnaire, en battant le pavé de sa canne, se prit à regarder les astres. Quand il eut marché environ vingt minutes, ses idées, qui s'étaient probablement tassées dans son esprit, à la façon des effets dans une malle, prirent une forme distincte.

– Ce sont deux bien jolies femmes, se dit-il en souriant aux chastes étoiles, et ce serait vraiment bien surprenant si, sur les deux, il ne m'en revenait pas au moins une... La jalousie, le dépit, la vengeance... c'est amusant de vivre !

Et Gustave Mirmont, une demi-heure après, mit la tête sur l'oreiller, avec le calme heureux d'une bonne conscience.

VII

Vers la fin de juillet, après une journée de chaleur écrasante, madame Brécart prenait le frais dans son joli petit salon ; Paul assistait à un dîner de cérémonie et ne devait rentrer que tard ; Bébé dormait dans la salle voisine, dont la porte entrouverte laissait filtrer une faible lueur de la veilleuse, et Claire avait fait emporter la lampe : les lumières de la place du Châtelet suffisaient, du reste, à éclairer l'appartement.

La jeune femme, assise auprès de la fenêtre, jouissait de cette belle soirée avec délices : quand on n'a pas son mari auprès de soi, savoir qu'il va bientôt rentrer est encore une chose fort agréable : c'était du moins l'avis de madame Brécart. La solitude, que d'aucuns trouvent odieuse, a pour les heureux un charme particulier ; de même qu'un avare s'enferme pour compter son trésor, on aime à rester un peu seul pour se rappeler toutes les joies et pour rendre intérieurement grâce à la destinée. C'est ce que faisait Claire. Renversée dans son fauteuil, les yeux perdus dans un coin de sombre azur qui passait entre la cime de deux arbres, et où elle voyait briller une étoile, elle se rappelait sa vie, pleine de bénédictions et de joies tranquilles.

Durant ses jours de fiançailles, sous l'œil de sa mère prudente et sage, elle avait appris la patience ; vingt années de mariage avaient enseigné à madame Laugé que les idées de son mari étaient des obstacles à tourner, non des résistances à forcer ; le souvenir de cette époque était un de ceux que Claire rappelait le plus volontiers. Puis étaient venues les joies triomphantes de l'amour avoué, le jour qui l'avait enfin donnée à Paul, la gravité recueillie des premiers temps de son mariage, puis les émotions de la jeune femme qui prend dans la vie son assiette définitive, qui se sent une compagne et une amie, qui s'accoutume à voir la considération due à l'épouse prendre la place de la familiarité joyeuse si naturelle envers la jeune fille ; puis la maternité, que Claire avait sentie se poser sur elle comme une couronne, comme la consécration d'une vie si bien remplie, comme la récompense de ses vertus d'épouse... tout cela était très doux, très sérieux, presque grave, et Claire pressa sur son sein ému ses mains jointes, comme pour y réunir dans une étreinte le cher époux absent et l'enfant adoré endormi.

Un vigoureux coup de sonnette retentit, et la jeune femme se leva en sursaut.

– Déjà Paul ! se dit-elle effrayée. Mais il ne sonne pas ainsi !

Elle courut à la porte du salon et vit entrer une forme féminine.

– C'est moi, Camille, fit la nouvelle venue haut et d'un ton dégagé. Je ne te dérange pas ?

– Je suis seule, répondit Claire, avec un léger serrement de cœur.

Cette voix, cette présence venaient de rompre le charme de ses souvenirs ; après son silence et son recueillement, il lui semblait entrer dans une salle trop violemment éclairée, et cela lui faisait mal.

Elle était retournée auprès de la fenêtre, et machinalement elle offrit une chaise à la nouvelle venue, qui s'y laissa tomber d'un air indifférent.

– Toute seule et sans lumière, dit Camille d'une voix légèrement ironique ; un peu de poésie ! Mais tu as toujours eu l'âme poétique !

– Je ne sais pas si c'est de la poésie, dit Claire non sans effort, car elle était mal réveillée de son rêve, mais je me trouve fort bien ici ; la demi-obscurité me repose les yeux...

– Et ton mari ? fit Camille sans paraître y attacher d'importance.

– Mon mari dîne en ville.

– Si je te dérange, il faut me le dire ; tu sais qu'un de mes désirs en ce monde est de ne jamais déranger personne.

– Tu ne peux me déranger, puisque j'étais seule et, comme dit Calino, occupée à ne rien faire, répondit Claire en se forçant à être cordiale, malgré une grande lassitude qui venait soudain de tomber sur elle.

– Alors je reste. Tu es peut-être étonnée de me voir à cette heure indue ?

– En effet... Quelle heure est-t-il ?

– Environ neuf heures et demie, ma chère. Mon oncle et ma tante doivent être couchés ; mais moi, je n'ai pas sommeil, et je suis venue te voir.

– Je te remercie, fit Claire en souriant ; mais pourquoi à cette heure ?

– J'étouffe dans ma chambre, et je crois que la fraîcheur de la nuit me fait un bien immense. J'ai pris depuis quelques jours l'habitude de me promener tous les soirs.

– Et quand il pleut ?

– Je prends un parapluie.

– Et tes parents, que disent-ils de cela ?

– Je ne leur ai pas demandé ; je crois bien qu'au commencement cela les a ennuyés, mais ils s'y sont faits.

Claire pensa qu'on ne se fait pas aisément à la pensée qu'un être cher et dont on est responsable court les rues le soir tout seul, surtout quand cet être est une jeune fille d'une beauté incontestable ; mais elle n'en dit rien.

– Il y a de quoi devenir fou, reprit Camille, de tourner la même cage comme un écureuil, le jour et la nuit, sans repos ni trêve. Mes promenades me changent les idées. Je suis enchantée d'avoir fait cette découverte.

Claire continua de ne rien dire ; il lui semblait qu'on pouvait se changer les idées sans sortir le soir toute seule. Il lui était arrivé à elle de sortir seule le soir quand la nécessité l'y forçait ; une nuit, entre autres, quelques années auparavant, sa bonne étant malade, son mari fort souffrant, elle était allée porter à son adresse un travail extrêmement pressé qu'il n'avait pu terminer avant minuit. Pour ne pas compromettre la réputation d'exactitude que Paul Brécart n'avait jamais démentie, elle avait mis un manteau, un capuchon, et, malgré les prières de son mari qui la conjurait de n'en rien faire, elle avait été jeter le précieux manuscrit dans la boîte aux lettres que presque toutes les maisons possèdent en province.

Cette course dans la petite ville de Saint-Martin, où elle n'avait rien à craindre, lui avait laissé des souvenirs pénibles. La rencontre de quelques hommes avinés lui avait causé moins de frayeur que celle de deux femmes qui parlaient haut et riaient aux éclats sur le cours. Elle avait passé honteuse comme une coupable, évitant les réverbères, et s'en était revenue bien vite, satisfaite d'avoir fait une chose utile, et humiliée de penser que la nuit couvrait tant de vilenies de son énorme manteau. Avec de tels souvenirs, la manie noctambule de Camille lui paraissait moins explicable qu'à toute autre.

– À quoi penses-tu ? lui dit brusquement Camille.

– Je t'écoute, répondit la jeune femme en se redressant sur son fauteuil.

– Eh bien ! qu'en dis-tu ?

– Je ne dis rien ; chacun agit selon ses goûts... Pour ma part, je n'aime pas à sortir sans mon mari, le soir moins que jamais.

– Eh ! ma chère, il n'est pas donné à tout le monde d'avoir un mari ! On fait ce qu'on peut, répliqua Camille avec un petit rire nerveux et saccadé. Que fait le tien ? ajouta-t-elle aussitôt.

– Il dîne en ville, répondit Claire, qui se sentait envahie par une sorte de malaise. Cette voix décidée, ces manières tranchantes lui déplaisaient et la blessaient presque, sans qu'elle pût s'expliquer pourquoi.

– Cela lui arrive souvent ?

– Presque jamais ; c'est un dîner de coterie ; il y a des camarades auxquels on ne peut refuser. On aurait l'air de se tenir volontairement à l'écart...

– On peut toujours refuser, fit nettement Camille.

– Je ne pense pas, reprit la jeune femme, sentant qu'elle défendait son mari contre une insinuation qu'elle ne voulait ni ne pouvait comprendre. Quand on est plus riche ou plus influent, on ne peut pas refuser à des amis qu'on a connus dans la médiocrité : on aurait l'air de leur tourner le dos...

– Bah ! ma bonne amie, les hommes excellent à trouver des prétextes pour colorer leurs fantaisies du jour de la vraisemblance... Au fond , ils sont enchantés de ne pas dîner chez eux, voilà la vérité.

Camille se reprit à rire de son petit rire saccadé, et aussitôt après une violente quinte de toux ébranla sa poitrine. Elle porta son mouchoir à sa bouche, se renversa dans un fauteuil et resta muette un instant.

– Tu tousses beaucoup ? lui dit avec intérêt Claire, soudain inquiète et comprenant enfin qu'il se passait quelque chose d'anormal dans l'esprit de son amie Est-ce que cela t'arrive souvent ?

– Mais oui, ma chère amie, très souvent.

– Depuis longtemps ?

– Deux ou trois mois.

– Tu ne devrais pas sortir le soir jusqu'à ce que ton rhume fût guéri.

– Ce n'est pas un rhume.

– Qu'est-ce donc ? fit Claire anxieuse, se rappelant soudain certaines rumeurs de Saint-Martin-les-Mines.

Camille garda un instant le silence, puis, poussée par on ne sait quel instinct étrange :

– Ma mère est morte à vingt-six ans, dit-elle, après avoir toussé quelques mois ; j'ai vingt-cinq ans révolus ; voilà tout.

Claire frissonna ; en effet, parmi ses souvenirs d'enfance, un des plus vifs était celui de l'entrée de Camille chez eux pendant qu'on enterrait sa mère. Cette petite figure pâle, ces grands yeux cernés, ces mains fluettes sur cette robe noire lui avaient laissé l'impression d'une catastrophe indiciblement douloureuse. Elle se leva, et son malaise moral disparut soudain.

– As-tu vu un médecin ? demanda-t-elle à voix basse, en posant sa main familière et caressante sur l'épaule de son amie. L'évocation de ce souvenir pénible venait de la lui rendre cent fois plus chère. Elle l'aimait autant en ce moment qu'aux meilleurs jours de leur amitié enfantine, et, de plus, la crainte nouvelle lui inspirait un redoublement de tendresse. Camille secoua la tête avec son petit rire nerveux ; malgré elle, Claire retira sa main.

– Ma tante et mon oncle m'ont fait ausculter par leur vieux médecin, dit la jeune fille.

– Eh bien ?

– Eh bien, rien ! Est-ce qu'ils y entendent quelque chose ?

Elle fut reprise d'une autre quinte, qui cette fois dura plus longtemps et la laissa très faible. Claire s'aperçut alors que cette manie de se promener le soir pouvait bien être le résultat d'un accès de fièvre ; elle pressa légèrement le poignet de son amie ; la peau était sèche et brûlante, l'artère battait vite avec des mouvements convulsifs. Elle eut peur.

– Camille, dit-elle, tu es très malade !

– C'est le moral qui est malade, dit la jeune fille ; n'en parlons pas. Parlons de toi. Nous ne sommes jamais seules, on ne peut pas causer. Raconte-moi donc un peu ton mariage ; au fond je n'ai jamais su comment c'était arrivé.

Avec quelque défiance d'abord, car Claire craignait de blesser les susceptibilités infiniment multiples de son amie, puis avec plus d'abandon, à mesure qu'elle pénétrait dans les détails de ce temps heureux, qu'elle aimait à relire, comme un livre su par cœur et toujours relu avec passion, elle lui raconta l'histoire de cet amour, si simple et si honnête. Comment Brécart l'avait aimée, on ne sait pourquoi : peut-être parce qu'elle adorait sa mère, peut-être parce qu'elle faisait d'excellents petits gâteaux, disait-elle en souriant ; comment il le lui avait laissé voir, et de quelle façon, un jour qu'ils se trouvaient seuls, et qu'il allait parler, elle le sentait bien, elle avait couru chercher sa mère dans la pièce voisine, et les avait laissés ensemble. Comment c'était madame Laugé qui avait reçu l'aveu du jeune homme et lui avait conseillé de garder momentanément le silence vis-à-vis de son mari, excellent d'ailleurs, mais qui représentait une curieuse espèce de Joseph Prudhomme, et qui voulait irrévocablement pour gendre un fonctionnaire décoré. Il le lui fallait décoré et fonctionnaire du gouvernement ; l'un des deux ne lui suffisait pas.

– Eh bien ? demanda Camille, qui écoutait en retenant sa respiration.

– Eh bien, cela a duré dix-huit mois ; petit à petit maman amenait mon père à l'idée d'avoir un gendre non décoré, d'abord, et pas fonctionnaire, ensuite ; il y avait des hauts et des bas ; des jours papa avait l'air de céder, et d'autres où, ayant la goutte, il était plus intraitable que jamais. J'écoutais les discussions en silence, le cœur bien gros... Heureusement, le soir on se voyait tantôt ici, tantôt là...

– Mais vous ne vous parliez jamais dans ce temps-là ? interrompit Camille.

– Je crois bien ! mais nous nous regardions ! Un jour papa vaincu s'écria :

– Encore, si l'on pouvait trouver un gendre comme Paul Brécart ! En voilà un qui fera son chemin, qui sera décoré et fonctionnaire ! J'allais sauter au cou de papa et lui crier : Je l'adore ! Maman me fit signe, heureusement, et m'envoya dans la lingerie. Je ne dormis pas de toute la nuit ; il me semblait que nous allions être mariés dans les vingt-quatre heures. Le lendemain matin, il neigeait, papa avait du rhumatisme dans le genou gauche, et il ne voulait plus de gendre du tout. C'est maman qui en a dépensé de la patience ! Pauvre mère ! Et tout cela pour se voir un jour abandonnée lâchement par ceux qu'elle avait mariés de ses propres mains !

Claire riait en essuyant une larme, mais la voix de Camille la rappela à son récit.

– C'est dans ce temps-là, reprit-elle, que Paul faisait la cour à toutes les demoiselles...

– Moi comprise, interrompit Camille.

Un souvenir importun traversa l'esprit de madame Brécart, mais elle l'écarta sur-le-champ.

– Toi comprise, naturellement, répondit-elle ; autrement, ce n'eût pas été juste. Et voilà qu'un jour, un fonctionnaire décoré fit à mon père je ne sais quelle sottise. – Jamais, s'écria-t-il, un homme de cette espèce ne sera mon gendre ! Maman saisit le joint, comme dit mon mari ; elle avait bien préparé le terrain, et ses paroles ne furent pas perdues ; huit jours après, mon mari faisait sa demande de la façon la plus froide et la plus formelle, tout comme si je n'avais été qu'une figure de géométrie, et mon père, après m'avoir consultée, le plus gravement du monde accordait ma main à l'heureux fiancé. Il est juste de dire que, dans l'intervalle, celui-ci était devenu fonctionnaire, mais il n'est toujours pas décoré.

– Et puis ? demanda Camille.

– Et puis ? On nous maria ! répondit Claire.

– Raconte-moi cela !

– Cela ne se raconte pas ! répliqua la jeune femme en souriant. Je ne me rappelle plus rien. J'avais une robe blanche, et l'on ferma la portière de la voiture sur la queue, de sorte qu'il fallut ouvrir les deux portières à la fois pour me faire sortir ; il paraît que ce fut une très belle noce... Pendant la messe, il y avait un ténor amateur qui chantait très faux... et puis on déjeuna, et puis on dîna, et puis on soupa... Tu sais bien ce qu'on peut avaler de nourriture à Saint-Martin sans en mourir d'indigestion ; moi, je n'ai rien mangé, mais j'étais bien contente.

– Et ton mari ?

– Il ne disait rien. Nous étions l'un à côté de l'autre ; je sentais de temps en temps la manche de son habit contre mon voile. Quand il m'a donné la main, elle était toute froide à travers son gant. Je crois que nous avions l'air très bête, du moins je le suppose.

– Et après ?

– Après ? C'était bien drôle d'avoir une maison à moi, des clefs à moi, du linge à moi ! Je crois que les huit premiers jours j'ai mis la lingerie sens dessus dessous au moins une fois par jour, pour obtenir un plus bel effet ; et puis j'allais à la cuisine goûter les sauces, et je les goûtais tant de fois que lorsqu'elles arrivaient sur la table il n'en restait plus ! Mais je crois que je ne goûtais pas tout, et que la bonne y était pour quelque chose ; car je changeai de bonne, et, depuis, il resta de la sauce, quand même je l'avais goûtée plusieurs fois.

– Et ton mari, que disait-il ?

– Il était content de tout ! Il a toujours été content de tout ! C'est le meilleur homme qu'il y ait au monde.

Camille aurait voulu questionner encore, et ne savait plus comment le faire. Elle absorbait avec volupté le poison qui la brûlait depuis deux mois ; d'abord elle avait faiblement lutté contre elle-même, puis elle s'était fait un calme menteur. La présence de Paul ne la troublait pas plus que son absence, ce qu'elle avait considéré comme une preuve d'indifférence ; elle ne s'était pas dit que peut-être cette froideur apparente venait de ce qu'elle ne vivait plus qu'en lui, de lui, de son souvenir, de l'écho de sa voix, du bruit de ses pas. Elle venait chez Claire, et si Paul était absent, elle ne le regrettait pas ; peut-être le préférait-elle ; elle pouvait interroger sa femme, toucher mille objets qui lui appartenaient, respirer cette odeur particulière à chaque intérieur, qu'on ne retrouve pas ailleurs, qui caractérise pour les chiens et les aveugles la présence de tel ou tel individu, de telle ou telle famille. Le parfum très doux et fugitif que Claire portait sur elle et qu'elle mettait dans les armoires, mêlé avec une odeur de londrès, était la marque distinctive de Paul et de ce qui lui appartenait ; Camille la respirait avec délices, et se faisait prêter des livres qu'elle ne lisait pas, seulement pour emporter chez elle l'odeur de ce cabinet de travail, qui la plongeait dans une ivresse comparable à celle de l'opium.

Elle n'aimait plus Paul, puisqu'elle n'éprouvait plus en sa présence de battements de cœur ni de rougeurs subites ; elle l'avait cru huit jours ; puis la passion irrésistible l'avait mordue au cœur un soir qu'elle le contemplait en veston de travail, debout sous la lampe, superbe avec sa cravate un peu lâche et son cou dégagé. Un flot de regrets, de vœux confus, l'avait prise à la gorge ; elle eût voulu tomber à terre devant lui et sentir le pied de cet homme lui fouler le corps, heureuse de mourir par lui, puisqu'il ne pouvait pas vivre pour elle.

Cette minute de folie laissa Camille très humiliée. Elle l'aimait donc malgré tout, après avoir cru ne plus se soucier de lui ! Alors, elle tergiversa avec sa conscience, et son orgueil lui tendit une planche de salut.

Certes, jamais il ne saurait qu'elle l'aimait ! Elle connaissait le devoir dont la règle austère avait toujours dirigé sa vie. Son devoir était de laisser à Claire le mari que Dieu et les hommes lui avaient donné. D'ailleurs, qu'importait à cette vierge orgueilleuse ce que les hommes appellent l'amour, et qu'elle trouvait méprisable et vulgaire ! Ce qu'elle voulait de lui, c'était son estime, son amitié complète.

Claire avait des vertus, certainement, mais Claire était bien matérielle ; elle aimait la bonne chère, les beaux meubles, les toilettes élégantes ; elle s'occupait du ménage et de l'enfant. C'étaient des soins que Camille lui laissait. Mais, à côté de ces détails de la vie, il y avait place pour autre chose. Paul méritait une amie qui le comprît, qui élevât à ces régions de l'idéal son âme que Claire ramenait sans cesse vers la terre. Oui, il y avait quelque chose de plus élevé que l'amour conjugal, toujours mêlé d'un peu d'argile ; il y avait une amitié sereine, idéale, presque sainte… C'est là ce que Camille pouvait offrir à Paul Brécart sans rien ravir à sa femme.

C'est à ce sophisme que s'arrêta la jeune fille, parant des plus beaux noms l'amour passionné qu'elle portait au mari d'une autre. À partir de ce moment, elle n'eut plus d'hésitations, plus de remords ; elle avait fait la part de Claire. Claire n'avait rien à réclamer, puisque son amie n'offrait à Paul que ce qu'elle-même ne pouvait pas lui donner !

Elle accepta dès lors l'offre que madame Brécart lui avait faite de venir aussi souvent qu'elle le voudrait ; elle vint deux fois, trois fois par semaine, dans la journée, vers l'heure des repas, où elle était certaine de trouver Paul chez lui. Elle assistait à leur déjeuner sans y participer, causant avec les deux époux, mais plutôt avec le mari ; car la jeune femme, occupée de faire manger son fils, de surveiller le service, ne prêtait à leurs propos qu'une oreille distraite. Au bout de quelques semaines, on ne l'annonçait plus, elle entrait et sortait comme quelqu'un de la maison. Paul et sa femme s'étaient faits à ces allures ; seul l'enfant n'avait rien accepté ; il détestait instinctivement Camille, et quand elle était là, ne disait pas un mot ; il détestait Camille, mais Camille le haïssait bien davantage. Haïr cet innocent ? Certes, elle haïssait l'enfant, cette œuvre de la chair, cette preuve irrécusable de l'amour des deux époux. Sans lui, elle eût pu rêver on ne sait quelle étrange existence où les époux vivraient côte à côte, frère et sœur, mais non amants ; son imagination de jeune fille lui eût alors fait grâce d'une torture qu'elle cherchait vainement à éviter. Elle haïssait l'enfant comme elle haïssait la chambre de Claire et le grand lit avec ses deux oreillers. Elle pouvait supporter d'entendre Paul tutoyer sa femme, – car elle la tutoyait ; elle lui pardonnait de l'embrasser au front devant elle, car Claire embrassait parfois son amie ; – mais l'enfant, rien ne pouvait l'empêcher d'être là.

Aussi Bébé devenait grave en la voyant paraître ; s'il eût su parler, il aurait dit bien des choses ; mais son langage n'était pas à la hauteur de ses sentiments, et il se contenta de refuser obstinément son front à des baisers que la jeune fille cessa bientôt de lui offrir.

Claire ne voyait rien ; elle avait toujours trouvé son amie « originale », et aucune excentricité de sa part ne l'étonnait plus ; depuis l'enfance, soit par débonnaireté, soit par cet instinct de soumission qui fait équilibre en nous à l'instinct de l'indépendance, elle s'était laissé morigéner par Camille. Celle-ci la grondait à tort et à travers, lui rattachait ses rubans dénoués par la danse, lui faisait des sermons sur la nécessité de remettre les objets à leur place ; sermons fort inutiles, car Claire avait au moins autant d'ordre que son amie, bien que le sien fut moins méthodiste et moins désagréable à son prochain ; c'était encore Camille qui faisait à Claire des homélies sur le devoir en général, sur l'abnégation, sur le détachement des choses de ce monde. Tant de gronderies, de sermons et d'homélies avaient accoutumé madame Brécart, alors qu'elle n'était que mademoiselle Laugé, à courber la tête devant son amie, à peu près comme on courbe la tête quand il pleut pour ne pas recevoir l'eau du ciel en plein visage. Aussi avait-elle repris sans effort l'habitude de se voir critiquée en toute chose. Peu importaient d'ailleurs à cette femme heureuse les petites gronderies de son amie moins fortunée !

Elle ne s'était pas préoccupée davantage de la manière dont Camille la négligeait pour s'adresser exclusivement à son mari ; elle ne l'avait pas même remarqué ! Son âme sereine ignorait la jalousie et ses inquiétudes mesquines ; d'ailleurs, préoccupée de l'idée que son amie finirait par épouser Mirmont, elle ne négligeait rien pour les faire rencontrer, et son attention était uniquement concentrée sur ce point.

Il y a des gens qui s'infiltrent dans les maisons, sans qu'on sache pourquoi, et qui y prennent racine, sans qu'il soit possible de s'expliquer comment. Gustave Mirmont était venu dîner chez M. et madame Brécart, avec la famille Frogé ; rien de plus naturel, puisqu'il était invité. Il avait fait dans la huitaine sa visite de digestion ; c'était dû ! Puis, environ huit jours après, il était revenu, apportant une loge du ministère pour le Théâtre-Français, où l'on donnait un drame en vers extrêmement couru. Madame Brécart avait accepté la loge avec reconnaissance, tout en disant que c'était de la part de Mirmont une manière habile de lui fournir un prétexte pour rencontrer Camille. Comme elle était aussi avisée que charitable, elle invita la jeune fille et pria M. Mirmont de venir les voir dans leur loge. Camille se rendit à l'invitation, parce que ce n'était pas un dimanche ; le dimanche, tout au plus se permettait-elle un peu de musique sacrée ; mais ses principes ne lui interdisaient pas sans doute de jouir de la présence de Paul Brécart, même le dimanche, car c'est ce jour qu'elle avait choisi pour faire au jeune couple ses plus longues visites ; il est juste de dire qu'en semaine elle n'avait guère le temps d'y rester, grâce à ses occupations.

Mirmont était venu dans la loge ; il y avait passé environ une heure, et chose moins invraisemblable qu'on ne pourrait le supposer, plus il se fortifiait dans la conviction que Camille aimait Paul Brécart, plus il se sentait pris de passion pour elle. Cette jeune fille qui adorait un homme marié lui paraissait quelque chose d'exquis et d'inabordable, et la difficulté de vaincre redoublait sa passion.

Cependant il s'était convaincu que, malgré ses allures extraordinaires, Camille était irréprochable ; cette conviction, qui avait commencé par lui être désagréable, car ce n'était pas une épouse qu'il cherchait, peu à peu lui devenait plus chère, à mesure qu'il prenait plus d'estime pour la jeune fille. Il en était venu, au bout de deux mois, à admirer sincèrement la passion contenue qui cernait les yeux de Camille et mettait sur ses joues les taches rouges de la consomption, sans qu'aucune plainte traduisît ses émotions au vulgaire.

Il l'admirait comme une belle œuvre d'art, et en même temps une sourde rage de n'être pas celui qu'elle aimait le rongeait par moments ; quand il se sentait pris de jalousie, ce qui lui arrivait souvent, il allait voir madame Brécart. La calme beauté, l'accueil avenant de la jeune femme lui semblaient le paradis après l'humeur inégale et les airs soucieux de Camille. Dans cette atmosphère souriante, il se détendait, et si sa nature profondément corrompue eût pu devenir meilleure, c'eût été sous l'influence de cette femme aimable et bonne. Seulement, comme il entrait dans la composition de Gustave Mirmont beaucoup plus d'argile que d'or, il ne manquait pas une occasion de taquiner Camille en faisant, comme on dit, la cour à madame Brécart. Celle-ci, sentant bien que ces amabilités passaient par-dessus sa tête, feignait d'y prendre plaisir, afin de pousser Camille vers son adorateur, grâce à l'esprit de contradiction qui fait le plus bel ornement de notre faible humanité.

Paul, depuis que ces petites intrigues se nouaient autour de lui, avait perdu le beau calme qui le caractérisait naguère ; plus rompu au monde que sa femme, il sentait dans l'atmosphère quelque chose de fiévreux et de malsain, mais sans savoir à quoi l'attribuer. Il trouvait que Mirmont venait bien souvent, ce qui était vrai ; que sa femme le recevait bien, ce qui était vrai aussi ; que son intérieur n'était plus le même, que Bébé était souvent maussade ; il ne s'expliquait pas que c'était seulement en présence de Camille ; et puis, un homme de trente-cinq ans ne côtoie pas impunément une passion comme celle-là : dans les regards contenus, dans les gestes de la jeune fille, dans le son de sa voix, dans la poignée de main officielle, mais où la main était brillante et nerveuse, il sentait quelque chose de très dur, de très âpre, qu'il prenait pour de la pitié, et il se demandait pourquoi cette pitié.

Sans savoir pourquoi, il se mit à rentrer brusquement à des heures insolites : rien ne lui parut changé par cette nouveauté ; Claire était aussi souriante, aussi calme que de coutume. Elle se contenta de lui faire observer que s'il changeait les heures de ses repas sans la prévenir, la bonne ne pourrait pas être exacte. Paul se fâcha le lendemain contre la bonne qui n'était pas prête, et la mit à la porte séance tenante. Ce détail de ménage se renouvela deux ou trois fois, et Camille alors se dit que son pauvre ami était bien mal servi. À partir de ce moment, le hasard voulut que Claire eût une série malheureuse de bonnes ; et la jeune fille, qui méprisait les recherches du service domestique et se contentait de ses propres mains, prit l'habitude, à chaque visite, de demander à son amie si elle avait toujours la même bonne. Claire répondait à cette agression comme à une aimable plaisanterie, mais Paul s'en trouva blessé.

– Tu te rends ridicule, dit-il un jour à sa femme, avec ces changements perpétuels.

Claire eût pu lui répondre que sur sept ou huit domestiques, c'était lui qui en avait renvoyé la moitié sans leur laisser le temps de répondre ; mais elle savait qu'à une injuste querelle il faut se garder de rien répliquer, car les arguments les plus raisonnables se brisent contre le parti pris ; elle alla plus souvent à la cuisine, fit plus de besogne de ses propres mains, et Paul eut la satisfaction de voir le même visage pendant plus de huit jours.

– Tiens ! tu as encore la même bonne ? dit Camille un jour en entrant, cela me surprend ; j'avais pris l'habitude de voir une nouvelle figure à chaque visite.

Paul regarda sa femme qui souriait, et un grand remords le saisit au cœur. C'était parce que cette tête folle avait raillé sa douce Claire, qu'il lui avait fait un reproche immérité ? Il comprit son injustice, et en eut grande honte. Tournant alors son regard vers Camille, il surprit dans ses yeux luisants une flèche acérée qui frémissait encore.

– On fait ce qu'on peut et non ce qu'on veut, mademoiselle, dit-il, non sans un certain effort pour amener un sourire sur ses lèvres ; trouvez-nous des bonnes qui élèvent à la hauteur d'un principe le sentiment du devoir, et nous n'en changerons plus. Pour ma part, je me récuse, je n'en ai jamais rencontré.

Camille le regarda, blessée au cœur ; ce regard émut Paul malgré lui. Il lui disait si clairement : – Tu peux m'affliger tant que tu voudras, tu sais bien que je suis sans défense contre toi !

Honteux de sa vivacité, mécontent de lui-même, il quitta les jeunes femmes, et Claire en fut un peu contrariée. Mais son âme sereine ne donnait pas d'autre portée à ce qu'elle voyait, et elle ne songea à cet incident que comme à un des mille désagréments dont notre vie est émaillée.

Il fallait cependant en convenir, ces petits désagréments se présentaient plus souvent qu'autrefois, et cette augmentation datait de l'entrée de Camille dans l'appartement du boulevard Sébastopol ; c'est pourquoi Claire ne mettait peut-être pas dans son accueil toute la cordialité d'autrefois ; mais à la pensée que son amie était malade, menacée d'une mort prématurée, comme autrefois sa mère, ses griefs s'évanouirent soudain, son cœur chaud et bon se réveilla vivement, et elle ne pensa plus qu'au moyen de secourir la jeune fille.

Pendant qu'elle prononçait le panégyrique de son mari, il rentra ; croyant Claire seule dans le salon, il s'approcha de la fenêtre, et dans le demi-jour produit par l'éclairage de la place, il se pencha sur la femme qu'il voyait assise dans le fauteuil, pour l'embrasser comme il faisait toujours en rentrant.

Camille sentit un frisson délicieux et mortel l'envahir à cette approche ; elle devait parler, sa voix aurait indiqué à Paul la méprise qu'il allait commettre : elle n'en eut pas la force. Mais au moment où la barbe soyeuse du jeune ingénieur effleurait déjà les cheveux de la jeune fille, Claire s'écria :

– Tu te trompes, Paul, c'est Camille ; je suis ici.

Sa main attira le jeune homme vers elle, et il mit sur son front le baiser du retour, après quoi il s'excusa de sa méprise auprès de la jeune fille.

– Je m'en vais, dit celle-ci en se levant brusquement.

– Pas toute seule ! répondit Claire, comme émue à la pensée que son amie était si malade.

– J'en ai l'habitude, reprit-elle brièvement.

– Je vais vous reconduire, mademoiselle, dit Paul en se dirigeant vers la porte.

– Ne prenez pas cette peine, monsieur, répliqua sèchement Camille.

– Si, si, Paul, reconduis-la ! s'écria Claire.

Pendant que la jeune fille mettait son chapeau, madame Brécart attira son mari dans l'embrasure de la fenêtre.

– Elle est très malade, mon ami, lui dit-elle à voix basse. Sa mère est morte toute jeune, la voilà malade comme elle... Fais-la parler, confesse-la ; il faut la sauver.

Elle poussa Brocart étonné vers la porte de l'antichambre, et deux secondes après ils descendaient l'escalier.

Restée seule, Claire retourna auprès de son fils, dont l'imperturbable sommeil bravait toutes les conversations. Elle le regarda pendant un moment, silencieuse, presque triste, et une grosse larme, se détachant de ses cils, roula lentement jusque sur la couverture du berceau.

– Pauvre enfant, dit-elle tout bas, si tu restais orphelin, comme elle ! Ah ! mon cher petit, ne sache jamais ce que c'est que de grandir sans mère !

Une seconde larme suivit la première, et tomba sur la menotte fermée de l'enfant, qui se retourna et entrouvrit les yeux en murmurant :

– Maman !

– Dors, mon chéri, répondit doucement Claire en se penchant sur lui ; dors, maman est là !

Il se rendormit aussitôt, et Claire cessa de pleurer.

VIII

Paul avait offert son bras à Camille, et ils marchaient le long du quai ; la gaieté du dimanche s'était à peu près endormie, en attendant que la sortie des théâtres vînt la réveiller. Surpris de ce qu'il venait d'apprendre, touché d'un soudain intérêt, plus vif et plus tendre pour cette belle créature, peut-être vouée à la mort, il ne savait que lui dire, et pourtant les questions se pressaient sur ses lèvres. Un accès de toux de Camille lui fournit l'occasion qu'il cherchait.

– Vous êtes sérieusement malade ? dit-il d'une voix douce.

– Qu'importe ! répondit Camille en doublant le pas.

Il la retint en serrant son bras, et la contraignit à marcher plus lentement.

– Il importe beaucoup, reprit-il ; vous êtes jeune, la vie s'étend devant vous ; il faut la conserver.

– Pour ce qu'elle vaut ! fit Camille en riant amèrement.

– La vie est une bonne chose, répondit Paul avec l'accent convaincu de l'homme pour qui l'épreuve a été favorable ; il faut l'aimer, pour qu'elle vous aime.

– C'est un moyen qui ne réussit pas toujours.

Il y avait dans cette réponse une telle amertume, tant de colère contenue, tant de regret inavoué, que Paul resta interdit. Cependant Claire lui avait enjoint de confesser Camille, et c'était aussi le vœu de son propre esprit devenu curieux.

– Avez-vous à vous plaindre du sort ? demanda-t-il.

– Moi ? ah ! Dieu ! jamais ! Y a-t-il au monde une créature plus heureuse que moi ! Et puis, monsieur Paul, qu'est-ce que cela peut vous faire ?

– Mais, mademoiselle, l'intérêt que nous vous portons...

– Croyez-moi, monsieur Paul, interrompit la jeune fille, ne vous inquiétez pas de cela ; vous avez d'autres soucis : votre position, vos devoirs, votre femme, votre fils... voilà ce qui doit vous inquiéter ; je ne suis rien pour vous, qu'une simple relation sociale, ni gaie, ni brillante, ni même utile ; réservez votre intérêt pour ceux qui en sont dignes : à vos yeux, ma vie ne peut pas avoir de prix.

Paul pensa que Camille foulait aux pieds, en lui parlant, des usages qui ont du bon, tels que celui de faire semblant de prendre pour argent comptant les banalités dont on se paye en pareil cas ; cette demoiselle excentrique le mettait dans un cruel embarras ! Fallait-il lui avouer qu'en effet il se souciait peu d'elle, ou bien répondre par une protestation plus chaleureuse ? Si l'exemple de Camille l'autorisait à agir suivant la première motion, ses habitudes d'homme du monde le forçaient à suivre la seconde, et c'est ce qu'il fit.

– Nous vous aimons beaucoup, mademoiselle, dit-il chaleureusement ; vous êtes une ancienne amie pour nous, et nous n'oublions rien !

Camille secoua la tête ; ce *nous* la gênait, et cependant elle s'était juré de ne rien dire, de mourir plutôt que de parler de son amour ; elle chercha un biais.

– Laissons cela, dit-elle, parlons de vous.

Mais ce n'était pas l'affaire de Paul, qui voulait savoir ce que signifiaient ces réticences, ces paroles véhémentes, soudain interrompues et comme reprises avec regret.

– Avez-vous vu un médecin ? dit-il.

– Oui.

– Que dit-il ?

– Rien qui puisse vous intéresser. Les heureux de ce monde ont une autre manière de voir que nous autres déshérités.

Une idée lumineuse traversa le cerveau de Brécart.

– Vous serez heureuse quand vous le voudrez, dit-il ; je suis sûr que Mirmont...

– Je n'épouserai jamais M. Mirmont ! s'écria Camille, les lèvres frémissantes, en s'arrêtant soudain. Jamais, entendez-vous, monsieur Brécart ? jamais.

– Pourquoi ? demanda à mi-voix Paul troublé. Il se sentait entraîné quelque part dans les ténèbres, et craignait tout en même temps qu'il désirait de voir le but.

– Pourquoi ? demanda Camille en haussant les épaules. Elle se remit en marche d'un pas rapide. Les hommes veulent toujours savoir pourquoi !

– Mais, il me semble qu'il est fort bien, riche, aimable ; il vous aime, cela n'est pas douteux !...

– Pourquoi ? pourquoi ? répétait Camille en marchant si vite que Paul ne pouvait plus modérer son allure. Vous voulez savoir pourquoi ? Dites, vous le voulez ?

– Oui, balbutia Paul, de plus en plus troublé.

Camille s'arrêta et le regarda bien en face. Ses yeux brûlaient comme des charbons ardents ; son visage pâle, contracté par l'angoisse, était d'une beauté presque surhumaine ; ses dents brillaient comme des opales sous ses lèvres entrouvertes.

– Parce que j'en aime un autre, dit-elle d'une voix étranglée. Parce que j'en aime un autre, à en mourir, et j'en mourrai. Un autre qui ne m'aime pas et qui ne peut pas m'aimer...

Paul sentit une main implacable lui étreindre le cœur ; il avait peur de ce qu'elle allait dire.

– Vous ne me demandez pas pourquoi il ne peut pas m'aimer ? Vous faites bien ! Allez, monsieur Paul, que cette confidence vous ôte l'envie de m'en arracher d'autres. Je ne suis pas faite comme tout le monde, sans doute ! Vous voilà bien interdit ? Une jeune fille qui avoue à un homme qu'elle aime quelqu'un, quelqu'un qui ne l'aime pas ! Cela renverse toutes vos idées ? Il ne fallait pas m'interroger ! Qui sait ? si vous me demandiez le nom de celui que j'aime, je vous le dirais peut-être ! Vous ne me le demandez pas ?

Elle parlait avec tant de colère, de haine et de mépris pour le monde entier que Paul sentit son cœur se desserrer.

– Je ne vous demande rien que vous ne puissiez ni ne deviez me dire, mademoiselle, répondit-il gravement ; je regrette mes questions indiscrètes et vous promets de ne plus en faire.

Camille se remit en marche, mais sa vaillance était tombée ; elle semblait ployée par une indicible lassitude, et Paul dut la soutenir, car elle faiblit plus d'une fois. Arrivée devant sa porte, elle leva le marteau et frappa :

– Je vous défends, dit-elle, de parler de ceci à Claire. Je vous le défends. Vous n'en avez pas le droit.

Avant qu'il eût répondu, elle était entrée, et la porte retombait.

Paul revint perplexe. Devait-il obéir à l'injonction de Camille et taire à sa femme cet étrange aveu ? Il médita sa conduite pendant tout le chemin de retour, et rentra chez lui avant d'avoir trouvé une solution.

– Eh bien ? demanda Claire quand ils furent réunis.

– C'est une fille étrange, lui répondit-il en hésitant ; elle a des idées bizarres ; je lui crois l'esprit plus malade que le corps.

– Si elle se décidait à épouser M. Mirmont, dit Claire avec la ferveur d'une âme convaincue, je crois bien qu'elle serait sauvée. Et toi ?

– Elle ne l'aime pas, répondit évasivement Brécart.

Sa femme n'en demanda pas davantage. Un peu plus de confiance de la part de Paul, un peu plus de curiosité de la sienne eussent peut-être amené un éclaircissement dans cette situation qui se tendait de plus en plus ; mais le sort en avait décidé autrement.

Camille revint le surlendemain. Son habitude de se juger et d'être contente d'elle-même lui avait fait approuver de tout point l'étrange conversation du dimanche.

– Il ne pensera jamais que c'est lui, se dit-elle ; j'ai détourné à jamais ses soupçons et endormi sa clairvoyance.

Elle revint donc, l'humeur changée, gaie et presque bruyante ; c'était le soir ; le soir, Paul était chez lui, et la reconduisait. Elle ne lui fit plus de confidences, mais peu à peu se rapprocha de lui, l'intéressa aux événements de sa vie, lui fit une part de plus en plus large à son amitié, et sut devenir, non plus l'amie de Claire, qu'elle laissait dans une dédaigneuse indifférence, parfois émaillée d'épigrammes, mais l'amie du mari.

IX

Camille toussait toujours ; l'ovale de son beau visage s'était allongé sous l'effort de cette passion sans cesse débordante et sans cesse contenue ; ses cheveux magnifiques jetaient une ombre plus prononcée sur ses tempes amaigries, et ses joues de plus en plus pâles se nuançaient le soir d'une rougeur plus vive ; Claire avait grand-pitié d'elle ; son aigreur mal déguisée, les épigrammes qui tombaient impitoyablement sur les moindres erreurs de la jeune femme, les paroles acerbes qui récompensaient le plus souvent les prévenances de l'amitié désintéressée, tout cela n'avait pu lasser son indulgence.

Claire était bonne par tempérament ; il lui plaisait de voir les visages souriants autour d'elle ; elle aimait à donner, elle aimait à bien faire ; le devoir, qu'elle ne parait d'aucun nom, dont elle ne se préoccupait jamais, dont elle parlait moins encore, lui venait naturellement comme les roses aux rosiers, et elle l'accomplissait sans effort, non sans travail, car sur notre planète laborieuse rien ne se fait sans peine.

Elle travaillait gaiement, silencieusement, sans le savoir elle-même, au bien de tous et de chacun ; c'étaient de bonnes paroles, de bonnes actions données dans un sourire, accomplies sans forfanterie, et ce faisceau de bonnes œuvres se formait si simplement autour d'elle que sa stature n'y gagnait pas un pouce. Beaucoup qui n'en font pas tant s'exhaussent sur un piédestal aux yeux de leurs contemporains.

Claire n'était connue de personne ; sa charité discrète n'était pas même appréciée de ceux qui en étaient l'objet, et parmi les bonnes qu'elle avait renvoyées pas une ne s'était aperçue que madame allait en omnibus au lieu de prendre des voitures, uniquement dans le but de donner de meilleur vin à l'office.

Où Camille eût-elle appris à connaître cette bienfaisance muette ? Son ostentation de vertu ne l'avait pas préparée à de tels renoncements. En effet, la première récompense de ceux qui font le bien n'est-elle pas la satisfaction même du devoir accompli ? Claire ignorait cette satisfaction ; son devoir accompli la laissait préoccupée de l'avenir, car où s'arrête le devoir ? Quand est-il jamais accompli ? Et celui-là même qui tout le jour travaille au bien de ses semblables peut-il jamais s'endormir en se disant : Je n'ai plus rien à faire, si vraiment il est dévoré de la soif du bienfait ? Aussi Claire songeait-elle toujours au lendemain, à la semaine suivante, à l'année prochaine, à ceux qui n'avaient point été secourus, à celle qui avait perdu un être cher et qui attendait une lettre, au compte non réglé que le fournisseur attendait peut-être pour payer une dette, à la visiteuse humble et craintive qui ne l'avait point trouvée ou n'avait osé présenter sa requête nécessiteuse... c'est à ceux-là qu'elle songeait, et non à ceux qu'elle avait secourus et consolés. C'est pour cela qu'elle ne portait point sur son visage l'expression satisfaite qui rendait Camille si triomphante, et qui, malgré tout, paraissait encore le plus souvent sur le visage de la jeune fille.

Claire prenait en patience les dédains de son amie, ses rebuffades et ses remontrances.

– Camille est malade, se disait-elle, malade et malheureuse.

Cette raison suffisait à tout excuser. Cependant elle souffrait parfois, et peu à peu cette souffrance passa à l'état chronique ; elle en vint à craindre les visites de son amie, exactement comme on craint la migraine qu'on sent venir ; mais elle ne songea pas plus à s'y soustraire qu'à l'inévitable fléau. Camille lui faisait faire ses emplettes, ses courses, parfois lointaines, sous ce prétexte spécieux : – Toi qui n'as rien à faire. Et, sans murmurer, madame Brécart allait chez le marchand de musique, au magasin de nouveautés, chez le dégraisseur, chez la fleuriste ; et le plus souvent, songeant que Camille était pauvre et son travail pénible, elle diminuait le prix payé par elle, afin d'alléger la dépense de son amie. Que lui importait à elle un louis de plus ou de moins ? Ses menus plaisirs, ses petites fantaisies de toilette en souffraient seuls, et Camille prendrait quelques heures de loisir de plus au moment des vacances.

Elle se laissait faire ainsi, non par faiblesse, mais par bonté. Elle voyait bien Camille la reléguer à l'écart dans ses conversations avec Paul ; elle se sentait pourtant capable d'y participer de tout son bon sens, de son intelligence éveillée, de son esprit juste et droit ; mais Camille était bien malade, et il ne fallait pas la contrarier.

L'automne était venu avec ses pluies et ses tempêtes ; mademoiselle Frogé continuait à venir le soir ; plus d'une fois elle était arrivée mouillée de la tête aux pieds et riant de sa déconvenue, car depuis quelque temps elle riait beaucoup, plus fort et plus haut que jamais. Claire eût pu lui représenter que sa robe mouillée tachait les jolis fauteuils café et or, et que ses bottines boueuses laissaient leur empreinte sur le tapis blanc et havane du salon ; elle n'en fit rien et se borna désormais à rester dans la salle à manger, dont l'ameublement moins délicat ne redoutait pas autant les atteintes de l'eau et de la boue.

– Ah ! tu as fermé ton salon ? lui dit Camille le jour même de cette innovation, – par raison d'économie sans doute ? En effet, vous devez dépenser des sommes folles pour chauffer tout cet appartement. Tu as bien fait, ma bonne amie, j'approuve ces réformes.

Claire, on ne sait pourquoi, se sentit blessée. Était-ce l'approbation de Camille ou le blâme implicite pour le temps où elle ne fermait pas le salon qui avait froissé quelque fibre ? Elle ne chercha pas à le savoir, mais sa nature honnête ne put le supporter.

– Ce n'est pas pour économiser le chauffage, répondit-elle ; chez nous, le salon doit être toujours chauffé, car il nous vient des visiteurs que je ne puis recevoir que là ; mais c'est une raison de propreté : il fait trop sale dehors.

– C'est pour moi que tu dis cela ? répliqua Camille avec son tact ordinaire. Tu aurais dû me le dire, au lieu de me le faire sentir...

Paul Brécart se leva silencieusement, prit la lampe et l'emporta dans le salon. Il sonna violemment et dit à la bonne effarée :

– Du bois au feu !

Puis il s'assit et se mit à tisonner.

Les deux jeunes femmes, se trouvant dans l'obscurité, l'avaient suivi.

– Je suis désolée, monsieur Paul, commença Camille, que vous ayez pris au sérieux une innocente plaisanterie.

– Ne vous excusez pas, mademoiselle, interrompit Brécart, c'est Claire qui a eu tort.

Cette parole de blâme direct, la première que Brécart eût jamais adressée à sa femme, tomba au milieu d'un silence glacial. Claire, sentant un flot de larmes sanglantes jaillir sous cette injure imméritée, baissa la tête pour les dévorer en silence et alla fermer les rideaux des fenêtres. La pluie battait les vitres, et elle s'aperçut que les volets n'étaient pas fermés. Elle ouvrit une fenêtre pour réparer cette négligence, et aussitôt un courant glacé pénétra dans la chambre, faisant trembler la lumière de la lampe. Camille toussa, et Paul impatienté s'écria :

– Tu veux donc nous faire mourir de froid, Claire ? Finissons-en !

La jeune femme se hâta d'assujettir le volet et de refermer la fenêtre, mais elle ne tenta point la même opération à l'autre croisée.

Elle prit son ouvrage resté sur la table de la salle à manger, et revint s'asseoir près de la lampe. La bonne apportait du bois, et le feu monta rapidement dans la cheminée. Paul ne disait plus rien, Camille entama une de ces conversations à bâtons rompus dont elle savait si bien éliminer son amie ; mais elle n'eut pas la peine de changer de discours à cause d'elle, car Claire n'ouvrit pas la bouche.

Dix heures sonnèrent, mademoiselle Frogé se leva, et Paul se leva au même moment.

– Bonsoir, Claire, dit Camille en tendant la main à son amie.

– Bonsoir, répondit doucement celle-ci, en se laissant presser le bout des doigts.

Ils sortirent ensemble, et la jeune femme, restée seule, se leva, fit deux fois le tour du salon, puis, s'apercevant que les volets de la seconde fenêtre n'étaient pas fermés, elle l'ouvrit pour remplir ce devoir. Le vent chassait la pluie à flots glacés ; elle frissonna et regarda dans la rue. La pensée que son mari se trouvait dehors par ce temps affreux lui causait une peine amère ; elle eût voulu le sentir près d'elle, à l'abri tiède de ce foyer qu'elle avait créé pour lui, pour qu'il y fût heureux... Elle resta là un moment, triste et glacée par la bise, mais trouvant une âpre satisfaction à souffrir du froid, comme il en souffrait à cet instant même.

– Il ne devrait pas sortir par un temps pareil, se dit-elle. C'est bon pour cette folle de Camille de courir les rues. Elle n'a ni enfant ni mari, qu'importe sa vie inutile ! Mais celle de Paul !

Claire se reprocha sur-le-champ cette pensée peu charitable ; elle se hâta de fermer la fenêtre et de tirer les rideaux, puis elle revint s'asseoir devant la cheminée où brûlait un grand amas de braise, produit des bûches fiévreusement entassées par Paul dans sa colère.

Mille pensées douloureuses flottaient dans son esprit, se

chassant et se rappelant l'une l'autre tour à tour ; pour la première fois depuis leur mariage, son mari lui avait parlé durement ; l'humiliation, en toute circonstance, eût été pénible à la jeune femme ; mais en présence d'un tiers, en présence de Camille dont la conduite à son égard témoignait depuis longtemps d'un dédain indifférent, quand ce n'était pas du blâme direct, c'était plus pénible encore.

Elle se rappela alors mille phrases de Camille qui avaient dû blesser son mari, toujours si soucieux de l'approbation d'autrui, si prudent à éviter tout ce qui pouvait lui attirer l'ombre d'un blâme ou d'un reproche, même muet. Paul avait dû sentir l'ironie de certaines phrases adressées à sa femme, de certains rires moqueurs, de certains éloges que le ton dont ils étaient prononcés rendait un blâme cruel. Ces petites choses, jusqu'alors inaperçues, prenaient une importance étrange aux yeux de Claire, pendant que, triste et découragée, elle regardait la braise se couvrir peu à peu d'une couche de cendre mince et fine que le moindre souffle faisait envoler.

Onze heures sonnèrent ; Claire tressaillit : il ne fallait pas une heure pour aller à la maison de Camille et pour revenir, Paul tardait bien longtemps. La pluie redoubla de violence, et une rafale chassa, de la cheminée dans le salon, d'innombrables flocons de cendre blanche et comme veloutée.

Claire se leva et se mit à marcher lentement, tournant instinctivement la tête, toutes les fois qu'elle se rapprochait de l'antichambre. Oui, son bonheur avait diminué depuis l'été dernier ; Paris ne lui avait pas porté chance ; cette installation qui lui paraissait autrefois dans sa vie comme l'ère d'un nouveau bonheur lui avait apporté plus de soucis que de joies ; elle promena son regard plein de larmes contenues dans ce joli salon, dont chaque meuble avait été pour elle l'occasion d'une fête intime. Celui-ci lui avait été donné par son mari lors de son anniversaire ; cet autre avait été acheté après une longue consultation avec la petite bourse de Claire, et n'aurait pu faire son entrée dans la maison sans les pièces d'or que Paul, témoin des hésitations de sa femme, avait prises dans le tiroir de ses menus plaisirs, et laissé tomber dans ce petit porte-monnaie, alors peu garni. Que de douces émotions !... Ah ! Camille avait beau dire, il y avait dans ces meubles, si encombrants quand on déménage, autre chose que des morceaux de bois et d'étoffe ; il y avait des souvenirs sacrés, il y avait une part de son mari et d'elle-même.

La pendule marquait onze heures un quart ; très inquiète, Claire s'arrêta brusquement devant la porte, les mains jointes, se demandant si quelque grand malheur n'allait pas fondre sur elle. La clef cria dans la serrure du dehors. Paul entra et referma la porte avec son soin habituel. Sa femme, prête à s'élancer vers lui, arrêta son mouvement involontaire... Il entra, pâle, visiblement fatigué, ses vêtements humides formaient sur lui des plis lourds... Il s'approcha du feu, présenta au brasier ses pieds mouillés et frissonna deux ou trois fois.

– Tu as eu froid ? lui demanda Claire, en proie à une inquiétude inexplicable.

– Oui.

Il s'assit d'un air accablé, passa les mains sur son front et se laissa aller dans le fauteuil. Sa femme voulait lui ôter son paletot ; il la repoussa doucement de la main, en lui disant :

– Attends un peu.

– Tu reviens bien tard ? lui dit Claire en hésitant ; elle ne voulait pas avoir l'air de lui faire un reproche, et cependant tout son être intérieur, agité de mille craintes, la poussait à une question.

– Je me suis arrêté à causer avec Camille devant sa porte, et j'ai eu froid en revenant, répondit-il de son air accablé.

– Camille, qui tousse si fort, aurait du montrer plus de prudence ! dit Claire mécontente et blessée.

– Elle est invulnérable, comme tous ceux qui sont très malades. Hors leur maladie, rien ne peut les atteindre.

Il frissonna encore et ferma les yeux.

– Je ne suis pas invulnérable, moi, dit-il avec un demi-sourire. Il faisait trop chaud ici, j'ai eu trop froid dehors... Je crains d'avoir attrapé un gros rhume.

Il referma les yeux qu'il avait ouverts un instant, et posa sa tête lourde et douloureuse sur le dossier du fauteuil. Claire le regardait avec une angoisse inexprimable ; il lui semblait sentir l'épée de Damoclès suspendue au-dessus d'elle, et le fil qui la retenait était si ténu, si ténu !

– Viens te coucher, dit-elle à son mari avec une douceur si maternelle et si résignée dans le geste et dans la voix, que Camille elle-même, la prude Camille, n'eût pas trouvé à y reprendre.

Il se leva, non sans peine, essaya de s'étirer et n'y put parvenir.

– Je suis moulu, dit-il ; il me semble que j'ai la fièvre.

Chancelant, comme ivre, il se dirigea vers sa chambre à coucher. Claire le suivait, les bras étendus, prête à le retenir s'il tombait, et son pauvre cœur ne ressentait plus qu'une indicible tendresse pour cet être adoré frappé si soudainement dans sa jeunesse et dans sa force.

Il atteignit le lit et s'assit sur la couverture. Elle s'approcha et se mit à le déshabiller lentement, avec précaution. Il ne disait rien et se laissait faire ; comme à un enfant, elle lui ôta ses bottines, dont le cuir était imprégné d'eau, puis ses chaussettes, et souffla sur ses pieds glacés pour les réchauffer de son haleine ; puis elle lui mit la tête sur l'oreiller et ramena sur lui la couverture de soie.

– J'ai froid, bien froid, répéta-t-il deux ou trois fois.

Elle mit sur lui l'édredon, puis un châle, puis le tapis de la table débarrassée à la hâte des objets qui l'encombraient ; il restait immobile, les yeux à demi clos, et elle entendait ses dents heurter bruyamment les unes contre les autres.

Elle eut une idée, alla dans la cuisine, ralluma le gaz sans appeler la bonne endormie au sixième, et fit chauffer de l'eau. Au bout d'un moment, elle revint auprès du lit : toujours silencieux et les yeux mornes, Paul grelottait sous l'amas de couvertures. Alors elle fit un grand feu dans la cheminée, soulevant et entassant les lourdes bûches qui ne lui pesaient pas plus qu'une plume en ce moment. Elle retourna à la cuisine et revint à la hâte avec un bol plein d'eau bouillante, où, inspirée par son instinct qui lui servait de science, elle avait versé un demi-verre de rhum bien sucré.

– Bois, dit-elle à son mari toujours inerte.

Il avait peine à se soulever. Elle passa son bras derrière l'oreiller et lui fit avaler le breuvage brûlant.

Il retomba avec un soupir de satisfaction et resta silencieux. Elle le regardait le cœur pris d'une pitié sans bornes et déchiré des plus terribles craintes.

– En as-tu encore ? dit-il au bout d'un moment. C'était bon ; cela me réchauffe.

Elle prépara un second bol. Le feu dansait sur les tentures soyeuses avec des grands jets de flamme et des ombres soudaines très noires. La veilleuse brûlait tranquillement, et Bébé, endormi, poussait de temps en temps un soupir dans la béatitude de son sommeil. Elle se demanda avec un effroi subit ce qu'elle ferait si elle perdait son mari. La chambre déserte, le parvis tendu de noir, le luminaire des funérailles se présentèrent devant elle avec une précision effrayante.

– Non ! non ! pensa-t-elle avec une énergie surhumaine ; il ne mourra pas. Cela ne se peut pas ! Je ne le veux pas !

De sa main raffermie, car sa résolution venait d'anéantir ses terreurs, elle lui donna à boire une seconde fois. Comme elle retirait le bol, il retint cette main maternelle si compatissante et la baisa longuement. Elle se pencha sur lui et sentit une légère moiteur perler sur son front.

– J'ai chaud, lui dit-il tout bas au bout d'un moment. C'est bon !

Elle sourit ; la pensée qu'elle le sauverait lui donnait une sécurité profonde.

– Tu ne te couches pas ? dit-il ensuite d'une voix endormie. J'ai sommeil.

– Tout à l'heure, répondit-elle. Dors.

La respiration s'égalisait ; il semblait dormir déjà, quand un sursaut le réveillant, il vit sa douce femme debout auprès de lui, qui le regardait avec ses yeux pleins de bonté et d'amour.

– Claire, lui dit-il d'une voix presque insensible, tu es bonne, je t'aime.

Et il s'endormit.

Quand elle se fut assurée qu'il reposait et que la moiteur continuait à perler sur sa peau réchauffée, elle jeta un manteau sur ses épaules, courut réveiller la bonne, lui donna l'adresse d'un médecin voisin, et revint à la hâte.

Tout était tranquille ; le père et le fils semblaient dormir du même sommeil ; mais le visage de Paul était traversé de temps en temps par de pénibles mouvements ; sa respiration était courte ; la peau redevenait sèche ; Claire s'assit au pied du lit, soignant le feu, et pensant uniquement aux soins matériels qu'allait exiger cet accident. Attirant à elle son petit buvard, elle écrivit que son mari tombé malade ne pourrait pas faire son cours ce jour-là, elle donna par écrit une série d'ordres qui devaient lui assurer le calme jusqu'au lendemain, et pria une de ses amies de venir chercher le petit garçon, pour lui éviter tout danger en cas de contagion.

Comme elle cachetait sa dernière lettre, le ciel s'éclaircissait, et le docteur entra.

C'était un bon médecin et un brave homme, qui avait déjà soigné quelques indispositions de Félix, et qui aimait ce jeune ménage.

Il éveilla le malade, l'ausculta, l'interrogea, et enfin se tourna vers Claire avec un visage calme qui inspirait la confiance.

– C'est une fluxion de poitrine, dit-il, mais soyez sans crainte ; vous l'avez soignée dès le début d'une manière intelligente, chère madame. Ce ne sera rien du tout. Votre femme vous a sauvé, monsieur Brécart ; sans les soins de cette nuit, je ne sais pas jusqu'où cela aurait pu vous mener.

– Ma femme est un ange ! répondit Paul en regardant Claire. Elle est un ange, et moi je suis un imbécile.

X

La chambre du malade était gaie ; pas de petits pots, de fioles, ni de petites cuillers ; tout cela était rangé hors de la vue. Madame Laugé, venue dès le premier mot de sa fille, soignait Félix qui l'adorait, et confectionnait de temps en temps à la cuisine de petits plats exquis, pour la plus grande satisfaction de son gendre. Le danger était écarté à jamais, et Claire, depuis trois jours, consentait enfin à se coucher sur un lit de camp, après avoir veillé debout les trois premières nuits ; mais la fatigue n'avait pas de prise sur elle : elle aimait avec tant de ferveur que le repos lui semblait un outrage à son cher malade. Les instances du médecin et de sa mère l'avaient enfin décidée à prendre un peu de repos, mais elle n'en avait pas besoin. La joie la soutenait et lui tenait lieu de tout le reste, la joie immense et intime de voir Paul hors de danger. Le médecin l'avait répété plus d'une fois à son mari et à sa mère, c'est son dévouement intelligent qui avait sauvé le jeune homme. Si elle l'avait laissé s'endormir glacé ce soir-là, il eût probablement payé de sa vie le plaisir de reconduire Camille et de causer une demi-heure avec elle sous une porte cochère.

Le sixième jour après l'accident, Camille, qui ne savait rien de ce qui s'était passé, se présenta chez Brécart le soir, suivant ses nouvelles habitudes. Elle allait entrer dans le petit salon havane, lorsque la bonne l'arrêta, en lui disant :

– Pardon, je vais prévenir madame.

Camille resta stupéfaite sous le bec de gaz de l'antichambre, se demandant si elle rêvait ; un vague trouble de conscience la saisit, et elle se demanda si Claire ne croirait pas avoir à se plaindre d'elle. Se plaindre ? De quoi ? En quoi Camille avait-elle lésé les droits de son amie ? Un rapide examen des faits la rassura, et c'est avec l'aplomb de la plus candide innocence qu'elle demanda en riant à Claire qui paraissait en ce moment :

– Je suis donc consignée ? Pourquoi tant de cérémonies ?

Sa voix haute et claire blessa les oreilles de madame Brécart, qui lui répondit à voix basse, ainsi qu'on parle dans la chambre d'un malade :

– Mon mari a failli mourir depuis ta dernière visite.

Camille tressaillit violemment : Paul avait failli mourir ! Mon Dieu ! que serait-elle devenue ? Mais il vivait ! C'est d'une voix tremblante qu'elle interrogea son amie :

– Et maintenant ?

– Maintenant il va mieux ; le danger est écarté... Mais il faudra bien des précautions dorénavant, les fluxions de poitrine laissent des suites longues et redoutables.

Les deux jeunes femmes étaient alors dans le salon, éclairé par une seule lampe ; l'arrangement des meubles témoignait que depuis plusieurs jours on n'habitait pas cette pièce ; à peine y passait-on quelques minutes par-ci par-là, quand il venait un visiteur. Camille appuya ses deux mains sur le dos d'une chaise pour se soutenir et regarda Claire d'un air éperdu.

– Une fluxion de poitrine. Mais il est hors de danger, dis ?

– À condition de ne pas commettre d'autres imprudences, répondit Claire.

Elle avait sur le cœur la dernière visite de Camille, et si heureuse qu'elle fût de sentir son mari hors de cette épreuve terrible, elle en voulait un peu à celle qui l'y avait précipité.

– Des imprudences... comment ? quand ?

– C'est en revenant de te conduire que mon mari est resté malade ; il avait eu froid en causant avec toi devant ta porte. Je te croyais plus de raison, Camille, mais tu aimes tout ce qui est romanesque.

Camille, pour la première fois de sa vie, sentit qu'elle méritait le reproche, et au lieu de se redresser fièrement comme elle le faisait toujours, elle courba la tête, et demanda pardon.

– Je suis désolée, dit-elle d'une voix émue et pleine d'angoisse, je ne pensais pas qu'il y avait du danger... Je te prie, Claire, de me pardonner... Et lui, n'est-il pas fâché contre moi ?

– Il ne m'en a jamais parlé, répondit la jeune femme, touchée de cette humilité assurément inattendue ; je ne crois pas qu'il se soit bien rendu compte...

– A-t-il beaucoup souffert ? demanda Camille après un silence.

– Pas beaucoup ; de la fièvre, un peu de délire de temps en

temps...

Camille regarda Claire à la dérobée : Paul n'avait pas parlé de
leur dernier entretien, sans quoi la jeune femme n'eût pu s'empêcher
de le lui faire savoir. C'était pour dénigrer Claire qu'elle avait retenu
Brécart sous la pluie glaciale, mal défendu par la mince corniche de
la porte cochère contre les filets d'eau qui tombaient de la gouttière :
elle était à l'abri pendant qu'elle s'apitoyait sur les défauts de Claire,
sur sa frivolité naturelle, sur sa sévérité intempestive avec les
domestiques, sur le peu de zèle qu'elle apportait au soin de sa
perfection. Paul avait écouté et subi tout cela parce que Camille,
sans le savoir, poussée par le besoin de séparer ces gens qui
s'aimaient, trouvait des biais incroyablement habiles, et parce que
chacun de ses blâmes était présenté comme une excuse. C'est ainsi
qu'elle avait retenu le mari de Claire sous le mauvais temps,
détruisant à la fois sa santé et son bonheur domestique, tout en
croyant fermement lui rendre service et dessiller ses yeux prévenus
par une longue habitude de faiblesse conjugale.

Paul n'avait pas parlé de cette conversation, ni volontairement ni
involontairement ; peut-être, dans sa fièvre, l'avait-il oubliée. Elle
s'expliquait maintenant pourquoi il l'avait écoutée sans lui
répondre. Déjà souffrant, glacé, fiévreux, il avait vaguement
entendu ces paroles sans les comprendre, ne pensant qu'à s'en aller.
Mais non, ce ne pouvait pas être ; pourquoi alors lui eût-il pressé
chaleureusement la main en la quittant, avec ces paroles qu'elle
s'était répétées cent fois depuis : – Vous êtes une véritable amie ?

– Peut-on le voir ? demanda-t-elle enfin, poussée jusqu'aux
dernières limites de l'imprudence par le besoin de contempler le
visage de l'homme qu'elle aimait et qui avait failli mourir.

Claire sourit.

– Il est au lit, ma bonne amie ; si tes principes te permettent de
voir un homme dans son lit, je ne peux pas te refuser cette
consolation...

Elle avait espéré que cette raison rebuterait Camille. À sa grande
surprise, celle-ci lui répondit d'un air dégagé :

– C'est ton mari, ma chère, et à ce titre...

Claire la regarda avec curiosité ; une vague lueur de vérité
pénétra dans son âme pour la première fois, mais ce fut une lueur

fugitive comme un éclair, si fugitive que l'on reste persuadé qu'on est en proie à l'erreur.

– Attends, lui dit-elle, que je voie s'il veut te recevoir ; il aura peut-être plus de scrupules que toi sur la convenance de cette démarche.

Camille sentit l'épigramme, mais que lui importait ! Elle voulait le voir à tout prix ; sa pensée n'allait pas plus loin. Si Claire lui avait refusé l'entrée de la chambre de son mari, elle y fût peut-être entrée malgré elle, sans souci des conséquences. Elle laissa donc madame Brécart passer dans la chambre voisine.

– C'est Camille, dit-elle d'une voix légèrement altérée. Elle veut te voir ; y consens-tu ?

Paul regarda sa femme, et une légère rougeur nuança ses joues pâles. Lui aussi avait fait bien des réflexions pendant ces six jours, et sa seule crainte était que Claire apprît jamais le rôle inconscient, mais odieux, que Camille avait joué entre eux. Il avait peur de Camille, la devinant capable de n'importe quel coup de tête, à un moment donné ; d'ailleurs , il n'était pas fâché de la voir contempler son ouvrage dans sa personne.

– Qu'elle entre, dit-il d'une voix tranquille. Seulement qu'elle ne reste pas longtemps, elle me fatiguerait.

Claire retourna près de son amie.

– Pour une minute seulement, lui dit-elle ; et elle retourna dans la chambre où Camille la suivit.

Paul avait beaucoup changé pendant ce court laps de temps ; certaines maladies attaquent le visage plus que d'autres, et l'amaigrissement y est plus considérable ; les yeux noirs du jeune homme s'étaient étrangement enfoncés dans leur orbite ; son nez, droit et effilé, paraissait de cire, et ses mains émaciées gisaient sur la couverture, longues et fines à faire pitié. Camille n'osa s'approcher, sentant que si elle perdait le peu d'empire qui lui restait sur elle-même, elle se précipiterait à corps perdu sur cet homme pour l'emporter dans ses bras en quelque lieu où il n'appartiendrait plus qu'à elle.

– Bonsoir, lui dit-elle. Ce fut tout ce que ses lèvres purent prononcer.

Il lui répondit d'un signe de tête, avec un sourire singulier et presque triomphant. Le souvenir de tout ce qu'il avait laissé dire à cette étrangère, l'idée qu'il lui avait permis, par son silence, de blâmer à tout propos sa femme, cette douce Claire qui était pour lui le soleil et la joie de son existence, tout cela lui revenait comme un mauvais rêve déjà lointain, grâce à sa maladie qui avait par le fait creusé un abîme entre le passé et le présent.

Paul n'était pas un enfant ; il y avait trois mois qu'il se sentait adoré de Camille. Pourquoi n'avait-il pas rompu dès ce jour même ? Parce que l'homme est faible. Il s'était payé de mauvaises raisons de convenances sociales, d'amitié ancienne, de la nécessité d'éviter d'éveiller des soupçons... Et puis, pourquoi affliger Camille ? Camille était bien belle, et il est si doux d'être adoré ! surtout quand on se sent fort et sûr de ne pas succomber. Paul était sûr de lui-même, il l'avait prouvé, car son cœur et ses sens étaient toujours restés froids près de la jeune fille ; mais l'amour-propre ! Au fond, neuf fois sur dix, c'est l'amour-propre qui mène l'humanité.

Mais quand le cœur est sain et le cerveau solide, il vient un jour où l'on répudie son erreur ; ce jour avait été pour Paul celui où, rentrant malade auprès de sa femme, qu'il avait blessée et affligée injustement, il le savait bien, il avait trouvé en elle le dévouement et la tendresse des meilleurs jours. Pendant les heures de fièvre qui avaient suivi, il n'avait cessé d'invoquer Claire avec un sourire sur les lèvres et une ineffable joie dans le cœur. Il se sentait pardonné sans avoir parlé, et son amour pour sa femme s'en trouvait centuplé.

Après avoir regardé Camille un moment, après avoir vu la différence de ce beau visage d'où ne rayonnait aucune sympathie pour la femme qui avait souffert de son mal et qui l'avait guéri, où toute l'expression se concentrait en un regard de passion prudente et craintive attaché sur lui, Paul ne put retenir un mouvement cruel dans sa naïveté. Désireux de venger en une seule fois Claire outragée cent fois par cette jeune fille qui avait voulu lui voler l'amour de son époux, il prit la main de sa femme dans la sienne :

– C'est elle qui m'a sauvé, dit-il en la caressant doucement.

Camille reçut le coup en plein cœur ; mais avec son stoïcisme ordinaire, elle sut ne point sourciller.

– Elle a bien fait, répondit-elle, c'était son devoir.

– Ce n'est pas par devoir que je l'ai fait, répliqua soudain Claire, grandie par le sentiment de sa supériorité, c'est par amour !

Paul baisa la main qu'il tenait.

– Je suis bien aise de vous voir mieux, dit Camille d'un ton tranquille ; je crains de vous fatiguer ; je reviendrai bientôt savoir de vos nouvelles.

Elle sortit, seule cette fois, et rentra seule au logis, bien avant l'heure habituelle.

XI

Le dimanche suivant, Gustave Mirmont vint rendre visite à madame Brécart ; ignorant la maladie de Paul, il apportait une loge pour le lendemain. Il fut très surpris, non de l'incident en lui-même, mais de la manière dont on en parlait dans la maison, ou plutôt dont on n'en parlait pas.

D'ordinaire, quand quelqu'un tombe malade, les parents ou les amis n'ont rien de plus pressé que de raconter aux visiteurs, par le menu, les causes qui ont amené le mal, celles qui l'ont aggravé, où, quand et comment le tout est arrivé... Ici, on ne parlait point du tout des causes, – en revanche on s'étendait sur les effets, si bien que Mirmont demanda naïvement au convalescent :

– Où donc avez-vous attrapé cela ?

Se souvenant qu'il avait en face de lui l'adorateur de Camille, celui qui, dans l'idée de tout son entourage, aspirait à conquérir son cœur en même temps que sa main, Paul se sentit embarrassé.

– C'était un soir, dit-il, je suis sorti pour reconduire quelqu'un... Il faisait très chaud ici, très froid dehors...

– Je comprends, répondit Mirmont, à mille lieues de se douter que le quelqu'un était Camille ; l'embarras du jeune ingénieur ne lui échappait pas ; mais, avec sa profonde connaissance du cœur de l'homme, il l'attribuait à la présence de Claire ; il supposa que le quelqu'un était du sexe féminin, et que madame Brécart devait l'ignorer, ce qui lui inspira sur-le-champ une nouvelle estime pour le mari. Il offrit sa loge, mais personne ne pouvait ou ne voulait en profiter. Claire eut un bon mouvement.

– Portez-la à madame Frogé, dit-elle. La bonne dame ne va guère au théâtre ; je suis sûre que cela lui fera grand plaisir, et puis, ajouta-t-elle en souriant, Camille vous en saura gré.

Mirmont sourit aussi, mais moins franchement ; il commençait à se sentir embarrassé du rôle qu'on lui prêtait. Il commençait aussi à voir que Camille ne se laisserait pas toucher autrement que pour « le bon motif », et même était-il sûr qu'elle se laissât toucher par le bon motif ? Il en doutait, à ses heures de mélancolie.

Une idée bizarre lui passa par l'esprit ; il était un peu superstitieux, bien peu, juste ce qu'il convient pour ne point avoir l'air d'un esprit fort, ce qui est très mal vu, chacun le sait ; il se décida à jouer Camille sur cette chance.

– Si je réussis, se dit-il, je continuerai ; si j'échoue, je n'y penserai plus.

– Vous avez raison, chère madame, répondit-il tout haut à Claire, qui attendait sa réponse ; je vais tenter la fortune.

Il se leva et se rendit immédiatement chez les époux Frogé.

Ce jour-là, Camille s'ennuyait ; elle avait vainement tenté de distraire sa mélancolie par la lecture des livres les plus édifiants, reliés en veau noir, qu'elle avait pu trouver dans sa bibliothèque ; sa tristesse était de celles qui ne se laissent pas charmer. Il était bien cruel de savoir Paul malade, mais plus cruel cent fois de penser qu'une autre l'avait soigné, l'avait sauvé ! Que n'eût-elle pas donné pour être à la place de Claire ! Se pencher sur lui, redresser ses oreillers, lisser doucement les plis de la couverture, recevoir le remerciement de ses yeux noirs, si bons et si tendres, c'était là le bonheur qu'elle avait rêvé toute sa vie. Être la sœur de charité de Paul ! mais de lui seul, car Camille détestait les exigences prosaïques de la maladie ; elle eût fait avec joie pour lui ce qu'elle avait fait jadis pour les pauvres de Saint-Martin ; mais alors elle était mue par l'ambition du bien, et maintenant elle ne désirait plus qu'une chose, se rapprocher de Paul, et autant que possible confondre leurs deux vies.

Claire était l'obstacle ; aussi Camille sentait-elle une furieuse colère gronder en elle contre la jeune femme. Claire s'était trouvée là autrefois pour empêcher Paul de remarquer la supériorité de son amie ; aujourd'hui elle était là encore pour empêcher la jeune fille de lui prodiguer les soins de la charité. Certes, Paul célibataire, tombé soudainement malade, eût vu Camille s'installer à son chevet, et elle l'eût soigné avec tout le dévouement de sa nature romanesque, exaltée encore par le mysticisme étroit dont elle faisait sa vertu. Donc c'était Claire qui volait à Camille ce droit sacré d'exercer la charité ! Mais que faire pour remédier à cet état de choses ? Rien, hélas ! Tous les beaux sentiments de Camille venaient se briser contre cet obstacle infranchissable, invincible : l'existence de madame Brécart.

La rancune qu'elle nourrissait contre son amie lui donnait

pourtant quelque souci. On ne s'engage pas impunément dans une voie coupable, lorsqu'on a tout un passé irréprochable derrière soi. Camille, jusqu'alors, avait vécu dans une pureté idéale, où les mauvais instincts muselés par son rigorisme ne trouvaient pas à se faire jour. Jamais elle n'avait connu la haine ni l'envie ; elle le croyait du moins, ne se rendant pas compte que son dédain pour tout ce qui n'arrivait pas à la perfection se rapprochait fort de ces deux sentiments sans en avoir l'air ; et voilà que l'élément de la jalousie avait brutalement pris possession de son existence et s'y installait en maître ! Elle en souffrait, et s'efforçait de chasser ce sentiment pénible. Une idée lui vint, idée lumineuse, et dont sa conscience, accoutumée aux sophismes, se paya tout d'abord.

Claire lui avait nui, – inconsciemment sans doute, – mais elle avait toujours été le grand obstacle de sa vie... Camille lui pardonnerait généreusement. Cette résolution jeta une grande clarté dans sa tristesse ; il était beau et grand de pardonner une telle offense ; l'orgueil de la jeune fille y trouvait son compte. C'est donc avec une entière liberté d'esprit que, durant quelques jours, elle ajouta à ses prières une pensée de pardon pour son ennemie involontaire.

Mais bientôt la mélancolie revint avec le doute. Elle avait beau se répéter qu'en pardonnant à Claire elle accomplissait tout son devoir et au-delà, les palpitations mourantes du droit et de la vérité, qu'elle essayait d'étouffer dans son cœur, la faisaient parfois tressaillir. Cette après-midi de dimanche, toutes ses pensées l'avaient ramenée bon gré mal gré à ce qu'elle tentait d'oublier, et sa jalousie contre madame Brécart reprenait le dessus d'une façon bien douloureuse.

En entendant la voix de Mirmont dans le salon, Camille hésita un instant, puis ferma son livre et quitta sa chambre. Tout être lui était bienvenu, pourvu qu'il l'arrachât à l'obsession de sa pensée. Mirmont se montra fort galant ; il offrit la loge à madame Frogé, mais en regardant Camille, et ce fut celle-ci qui accepta.

Elle était devenue soudain mondaine, elle qui méprisait autrefois les plaisirs et les spectacles ; est-ce parce qu'elle trouvait dans ce va-et-vient perpétuel l'occasion de voir plus souvent Paul Brécart ? Il y avait peut-être encore autre chose dans ce changement. Camille savait qu'elle était belle, mais à quoi bon, si personne n'en voyait rien ? Elle se croyait bien dépourvue de toute vanité ; mais les fleurs sont belles, et l'on éprouve à les regarder un plaisir délicat et noble ;

pourquoi n'en serait-il pas de même de sa beauté de fleur humaine ? Bien mieux, cette beauté qui passait sereine, au-dessus des préoccupations vulgaires, c'était l'œuvre de Dieu ; n'était-ce pas un devoir pour celle qui la possédait de la présenter aux mortels, comme une preuve de ce que peut le Tout-Puissant ?

On irait loin avec de pareils principes ; heureusement Camille s'arrêta en route et se contenta de parer l'œuvre de Dieu de la manière la plus avantageuse. Le lendemain, lorsque Mirmont vint voir la famille Frogé dans la loge qu'il leur avait offerte, il fut stupéfait de ce que pouvait Camille pour l'embellissement de sa personne. Elle avait changé sa coiffure, dégagé un peu son cou de statue, raccourci les manches trop longues de sa robe, et le feu intérieur qui la dévorait donnait à ses yeux plus de profondeur, à son teint une transparence nacrée, à ses dents un éclat humide ; elle était si belle que tout l'orchestre, à l'entracte, s'était mis à la lorgner.

Mirmont arriva précisément alors, et suivant la direction des jumelles, il aperçut Camille, au bord de la loge, éblouissante de beauté et de dédaigneuse indifférence. Au fond, elle était enchantée de cet hommage universel et spontané ; pour ce soir-là, elle se sentait reine. Ce triomphe public est une des choses que rêvent le plus les femmes ; c'est ce qui fait pour elles de la cérémonie nuptiale une affaire de si haute importance. Sur vingt jeunes filles qui se laissent marier au premier venu, il y en a au moins dix-huit qui demanderaient à réfléchir si elles devaient se marier en robe de tous les jours, dans la salle à manger de leur maison, sans témoins, et si on ne leur donnait à cette occasion ni trousseau ni corbeille.

Mirmont se fit introduire dans la loge et persuada à madame Frogé qu'il fallait absolument aller voir le foyer ; la bonne dame comprit à demi-mot et emmena son mari.

– Viens-tu ? dit-elle à Camille, d'un air qui signifiait : ne viens pas.

En toute autre circonstance, la jeune fille eût fait précisément ce qu'on la priait de ne pas faire ; mais l'admiration du public, tout en lui causant une vive satisfaction, lui inspirait un peu de frayeur ; elle l'aimait mieux de loin que de près. Elle resta donc dans la loge, et Mirmont s'assit auprès d'elle.

On parla de banalités, et l'on se dit des choses fort graves, sans que personne put les répéter, car tout est dans l'accent et le sourire.

Mirmont, appuyé sur le dossier du fauteuil de Camille, critiquait la toilette des femmes, et cette critique était l'éloge le plus brûlant, le plus passionné de la beauté de la jeune fille ; il lui parlait du dernier livre à la mode, et le sublime caractère de l'héroïne baissait pavillon devant celui de Camille. Elle écoutait, charmée malgré elle de cet hommage qui, joint à celui des inconnus, achevait son triomphe, et un sourire d'orgueil errait malgré elle sur ses lèvres. Mirmont, qui jusque-là était resté fort hésitant dans ses intentions, se sentit tout à coup fixé.

– Camille sera ma femme ! se dit-il.

Avec une femme de cette beauté, il vaincrait tous les obstacles ; Camille serait la reine du monde le jour où elle porterait une robe de velours, avec le nom de madame Mirmont.

– Mademoiselle, lui dit-il, et son haleine effleurait les cheveux de la jeune fille, pendant qu'il se grisait du parfum de ses rubans, mademoiselle, j'ai mille choses à vous dire ; quand pourrai-je vous parler ?

– Mais tout de suite, répondit Camille.

– Non, pas ici. Voulez-vous m'indiquer un moment où je vous trouverai chez vous ?

– Demandez cela à ma tante, répliqua la jeune fille avec hauteur.

– Bien entendu, mais je veux vous voir vous-même.

Madame Frogé, qui rentrait, coupa la réponse de Camille, qui probablement n'eût été qu'une rebuffade, car, toute fière qu'elle était de cette recherche, il n'entrait pas dans ses idées de la recevoir autrement que d'une façon désagréable.

Pendant l'entracte suivant, Mirmont s'arrangea pour savoir à quel moment Sébastien faisait sa promenade, quand madame Frogé se rendait au marché à quelle heure Camille sortait pour ses leçons ; et à force d'interroger adroitement, il finit par trouver dans la semaine une heure où Camille était seule à la maison. L'heure était matinale et passablement indue ; mais qui veut la fin veut les moyens, et Mirmont était décidé à éclaircir la situation.

Le jour venu, Camille, dans le salon, composait son rouleau de musique pour les leçons de la journée, quand la vieille cuisinière ouvrit la porte à Mirmont. Celui-ci, après avoir demandé M. ou madame Frogé, s'était rabattu sur mademoiselle, faute de mieux ; la vieille servante retourna à sa cuisine, et Camille, assez surprise, mais pas trop, regarda son visiteur d'un air d'interrogation.

– J'étais sûr, mademoiselle, dit celui-ci, restant debout, le chapeau à la main, j'étais bien sûr de vous trouver seule ici ; j'avais pris mes informations. Voulez-vous m'accorder un moment d'entretien ?

Camille s'inclina en silence. C'était une chose intéressante que la visite de ce personnage dont elle ne pouvait méconnaître l'importance ; il allait probablement lui demander sa main... C'était encore fort intéressant. Elle écouta donc ce qu'il avait à lui dire.

Mirmont, se voyant accueilli, mit son chapeau sur un meuble et présenta un fauteuil à Camille, qui l'accepta machinalement ; puis il prit une chaise pour lui, à une distance respectueuse.

– Vous avez deviné, sans doute, mademoiselle, dit-il, pourquoi je suis venu si matin, et pourquoi je voulais vous trouver seule ?

– Non, monsieur, répondit froidement la jeune fille ; je n'ai rien deviné, et si j'ai pu conjecturer quelque chose, mes conjectures n'appartiennent qu'à moi.

– C'est trop juste, reprit Mirmont, pénétré de respect pour une si belle défense ; c'est donc à moi de vous l'apprendre. Je voudrais obtenir votre main, mademoiselle ; mais comme je déteste ce qu'on est convenu d'appeler les mariages de raison, je ne veux la devoir qu'à vous-même.

Mirmont mentait impudemment, car un mariage de raison lui avait de tout temps paru le but de son existence ; mais, outre que toute vérité n'est pas bonne à dire, en ce moment, il croyait fermement désirer un mariage d'amour et aussi d'ambition, pourrait-on dire, car il voulait Camille seulement parce qu'elle était belle.

À cette phrase, la jeune fille opposa d'abord un silence qui sembla long à son prétendant, puis elle baissa la tête et répondit :

– Je ne désire pas me marier.

C'est une réponse commode, à la portée de tout le monde ; aussi sert-elle souvent, sans rien perdre de son mérite. Mirmont n'était pas homme à se laisser démonter pour si peu ; il s'inclina poliment et reprit :

– Je ne vous demande pas un consentement immédiat ; ma proposition doit vous surprendre...

Il regardait Camille ; celle-ci leva les yeux, et il y lut clairement que sa proposition ne la surprenait pas.

– Elle est très forte, se dit-il ; si elle entre dans mes combinaisons, notre avenir sera magnifique.

– Je ne veux pas me marier, répéta Camille lentement et comme à regret.

– Est-ce le mariage ou le mari qui vous déplaît ? demanda Mirmont de cette voix insinuante qui avait jadis touché un ministre.

Comment voulez-vous qu'on dise en face à un homme qu'il vous déplait, surtout quand ce n'est pas vrai ? Effectivement, Mirmont ne déplaisait pas à Camille. À le voir souvent, toujours prêt à lui être agréable, elle avait pris pour lui une sorte d'attachement. L'espèce de galanterie agressive qu'il déployait vis-à-vis d'elle ne lui déplaisait pas non plus ; les attentions d'un berger d'Arcadie l'eussent ennuyée ; dans cette sorte de défi que lui avait porté cet homme, elle avait trouvé l'attrait de la lutte, et son ennemi lui devenait presque sympathique.

Était-ce le mariage qui lui déplaisait ? Hélas ! avec quelle joie elle eût été la femme de Paul Brécart ! Que répondre, alors, à moins de faire un mensonge bien franc, bien hardi ? Mais si Camille se mentait à elle-même, elle ne mentait pas aux autres, si dure que fut l'épreuve. Elle garda le silence, et comme Mirmont répétait sa question exactement dans les mêmes termes, elle lui répondit nettement :

– Ce n'est ni l'un ni l'autre.

– Alors, pourquoi ? demanda Mirmont, de plus en plus insinuant ; on eût dit que sa chaise, animée du même esprit que lui, glissait d'elle-même vers le fauteuil de Camille. Pourquoi refusez-vous de combler mes vœux ?

Combler ses vœux ! Camille eût ri de cette devise de mirliton, si la circonstance n'avait été si grave ; elle luttait avec elle-même ; son bon sens lui reprochait amèrement de ne pas accepter la proposition de cet homme riche, bien posé, aimable, beau garçon, qui ferait un excellent mari et pour lequel elle éprouvait plutôt de la sympathie que tout autre sentiment ; mais être à un autre qu'à Paul, tomber des hauteurs de l'idéal aux réalités de la vie... elle s'en sentit incapable. Levant sur Mirmont son regard qui ne tremblait pas, elle lui dit avec calme :

– J'en aime un autre.

Mirmont se leva brusquement comme si cette réponse l'eût cinglé d'un coup de fouet.

– Vous en aimez un autre, dit-il entre ses dents, blême de colère, tant le calme de Camille lui faisait sentir son infériorité vis-à-vis de l'autre, cet autre, qu'elle aimait. Cet autre, pourquoi ne l'épousez-vous pas ? ajouta-t-il cruellement, car il savait bien le nom de celui qu'elle lui préférait.

Ce fut au tour de Camille à se sentir blessée, moins de la question en elle-même que de la méchanceté avec laquelle Mirmont l'avait accentuée. Elle leva fièrement la tête un peu plus haut, et répondit :

– C'est mon secret.

Elle était plus belle que jamais avec son air de défi, et Mirmont n'était pas de ceux qui estiment la beauté de l'âme par-dessus tout. Il sentit son amour redoubler en présence de cette opposition ; l'avenir moral de sa femme lui importait peu ; une fois qu'elle serait à lui, il saurait bien faire respecter son nom et son autorité conjugale ; l'essentiel était d'obtenir Camille d'elle-même, ensuite il la traiterait soit en amie, soit en ennemie, suivant qu'elle aurait été plus ou moins soumise.

– Vous me refusez parce que vous aimez Paul Brécart ? dit-il à voix basse.

– Si vous le savez, répliqua-t-elle, pourquoi me le demandez-vous ?

– Pour en être certain, répondit-il.

– Eh bien ! oui, je l'aime ! s'écria Camille, enfin délivrée de son terrible secret, je l'aime ! qu'est-ce que cela peut vous faire ?

– Rien, assurément, puisque vous refusez de m'épouser, mademoiselle, répondit Mirmont, redevenu maître de lui.

Camille se leva pour indiquer que l'entretien était fini ; mais son interlocuteur avait encore quelque chose à lui dire.

– Mademoiselle, commença-t-il, je n'ai pas qualité pour vous adresser des conseils, encore bien moins des remontrances ; cependant, permettez-moi de vous donner un avis désintéressé. Vous êtes dans une voie périlleuse : ou bien vous mourrez du chagrin de n'être pas aimée, ce qui serait pour beaucoup d'entre nous, et pour moi surtout, une douleur inconsolable ; ou bien M. Brécart s'apercevra de l'affection que vous lui portez, et alors...

– Monsieur ! s'écria Camille, le visage empourpré par la honte et la colère.

– ... Et dans ce cas, mademoiselle, continua Mirmont en s'inclinant profondément, vous mourrez de chagrin tous les deux, ce qui fera une veuve et un orphelin de plus sur la terre, et ne changera rien à ce qui vous concerne. D'autres éventualités seraient à redouter, si vous n'étiez pas, mademoiselle, aussi près de la perfection qu'il est permis à une créature humaine de s'en approcher... M. Brécart est l'honneur même. Je vous engage à réfléchir. Si vous voulez bien m'accorder votre main, je tiendrai pour non avenue la conversation que nous venons d'avoir.

Camille, interdite, regarda son ennemi. Elle avait sans doute mal compris. Pouvait-il lui demander sa main sans son cœur ? Il saisit sa pensée.

– J'ai assez de foi dans vos vertus, mademoiselle, reprit-il, toujours digne et respectueux, pour croire que madame Mirmont aurait oublié tout ce qu'a pu ressentir mademoiselle Frogé envers tout autre que son mari.

Il salua la jeune fille et se retira, sans qu'elle songeât à lui adresser la parole.

Quand elle se vit seule, Camille resta interdite ; jamais la possibilité d'une pareille aventure ne s'était présentée à son esprit. L'homme est faible cependant, et la jeune fille ne put s'empêcher de penser à la brillante destinée que lui offrait Mirmont. Elle le savait riche et ambitieux ; il y avait là de quoi satisfaire ses instincts à elle, de quoi la faire honorée, admirée comme elle l'avait toujours désiré. Au fond, elle sentait bien que son amour pour Paul était un défi insolent à la destinée ; que toute femme vraiment sage eût étouffé ce sentiment au lieu de le cultiver avec orgueil ; en épousant Mirmont, elle mettait entre elle et celui qu'elle aimait non pas une barrière infranchissable, hélas ! il n'en est point ! mais un nouvel obstacle, et celui-ci plus redoutable que l'insignifiante Claire.

Sans doute, mais Paul, que penserait-il d'elle ? Il devait bien savoir qu'elle l'aimait chèrement ; l'esprit clair du jeune homme n'avait pu s'aveugler au point de ne pas découvrir la tendresse exaltée qu'elle lui portait. Camille espérait qu'il attribuait cette tendresse à une amitié toute idéale, planant bien au-dessus des orages de la vie ; mais en prenant le nom, en partageant la vie d'un autre, Camille cessait d'être une exception, elle tombait brusquement du piédestal où elle espérait s'être placée.

Et puis l'épreuve que venait de traverser Paul l'avait rendu cent fois plus cher à Camille. Elle avait beaucoup souffert depuis cette courte visite, où deux mots à peine avaient été échangés, en présence de Claire. Rentrée chez elle, elle avait saisi son oreiller dans ses bras, et, affaissée sur son lit, serrant convulsivement cet objet inerte sur son cœur gonflé de sanglots, elle avait passé la nuit à pleurer tout bas, à étouffer ses cris de colère et de douleur, et à se désespérer de n'être pas l'heureuse Claire qui le soignait, le médecin qui lui touchait le pouls, la servante qui lui préparait un bouillon, ou même, moins que cela, le tapis sur lequel il allait poser ses pieds défaillants quand il quitterait le lit pour la première fois.

C'est quand celui qu'on aime est retenu dans des entraves infranchissables que l'on reconnaît si l'amour qu'on lui porte est tendresse ou passion. Claire, empêchée ainsi de voir son mari, se fut réjouie dans son chagrin, en pensant qu'il était bien soigné, que des mains compatissantes et légères s'empressaient autour de lui, qu'un visage plein de bonté s'approchait de lui pour lire dans ses yeux les paroles que la bouche ne pouvait pas prononcer. Camille, elle, eût mieux aimé le savoir mort que soigné par Claire.

Elle n'osait plus retourner dans cette maison, sentant bien que madame Brécart, au moins, la rendait en partie responsable de la maladie du jeune homme ; mais bien plus que les reproches de Claire, elle craignait la présence de son mari. Elle avait peur de ne pouvoir se contenir, peur de tomber à genoux devant lui, les mains jointes, pour l'adorer, dans sa joie de le revoir sauvé, après avoir effleuré la mort de si près. Pendant les soirées de cet automne inclément, elle était allée tous les jours devant la maison dont elle n'osait franchir le seuil ; les arbres dénudés lui permettaient de voir les fenêtres ; à travers celles de la chambre à coucher, les persiennes à claire-voie laissaient filtrer un peu de lumière, bien peu ! Cette faible lueur suffisait pour plonger Camille dans une extase douloureuse ; derrière ces minces lattes de bois s'agitait une vie plus précieuse pour elle que tous les trésors de l'univers ; mais elle ne pouvait franchir cette frêle barrière ; elle était aussi loin de l'être aimé que les curieux le sont des diamants de la couronne, exposés dans leur spacieuse vitrine de cristal, et tout aussi inabordables, bien que chacun puisse les dévorer des yeux.

Elle revenait lentement chez elle, frôlant de sa main lassée les parapets des quais pour s'y appuyer de temps en temps ; le contact de la pierre glacée la faisait tousser, et elle toussait avec une joie sauvage, avec un acharnement cruel, heureuse de se sentir secouée par ces quintes douloureuses, et pensant que la mort viendrait enfin la délivrer.

Rentrée chez elle, la tiédeur de l'appartement la faisait passer à d'autres idées ; elle s'attendrissait sur son sort, qu'elle comparait à celui de Paul.

– Il est heureux, lui, se disait-elle ; il est aimé, il est soigné ; moi, je suis abandonnée du destin. Nul ne m'aime, ne pense à moi, ne pleure sur moi. Pauvre orpheline, pauvre être déshérité, qui n'a ni mère ni époux !

Elle pleurait longtemps sur elle-même et sur sa mort prématurée ; ses larmes coulaient abondantes, presque douces ; elle finissait par s'endormir d'une sorte de somnolence trempée de pleurs dont elle retrouvait la trace sur son oreiller et où elle trouvait une jouissance indicible. Pendant ces longues soirées, les époux Frogé, couchés de bonne heure, pensaient à elle et s'apitoyaient de la voir tousser. Un jour, faisant un effort héroïque, ils invitèrent à dîner un vieux médecin, hors d'exercice depuis longtemps, camarade d'enfance de M. Frogé. Le vieux docteur écouta Camille pendant le dîner, la regardant en dessous, la faisant parler et s'amusant à la contrarier pour la mettre d'aussi mauvaise humeur que possible ; quand la jeune fille en sortant lui laissa le champ libre, il rassura M. et madame Frogé.

– Ce n'est rien du tout, leur dit-il, c'est nerveux ; ces jeunes filles qui n'ont rien à faire se montent la tête à propos de tout. Donnez-lui un mari, deux ou trois enfants et des bonnes désagréables, vous verrez comme elle sera vite guérie. Un peu trop de travail, c'est le remède souverain aux maux de nerfs.

– Mais la toux, cher docteur ? objecta tante Belle peu rassurée.

– Nerveux comme tout le reste, chère madame.

– Mais sa mère est morte...

– D'une fluxion de poitrine mal soignée ; j'y étais, et j'ai dit son fait à l'imbécile qui l'avait entreprise. Rassurez-vous, chère madame, mademoiselle Frogé n'est pas plus poitrinaire que vous et moi.

Pendant la semaine qui avait suivi cette visite, les deux vieillards, un peu rassurés, avaient repris quelque gaieté, et puis l'hiver avançait, Camille toussait toujours, Paul était tombé malade ; tout cela leur avait assombri les idées, et ils s'étaient remis à la tristesse, comme si elle eût dû être leur régime habituel.

Camille en avait bien souci ! L'ingrate ne réclamait qu'un amour au monde, celui qu'elle ne pouvait obtenir sans crime ; hors de là, la tendresse des autres ne comptait pour rien, celle de ses vieux parents moins que le reste ; c'était une chose d'habitude, qui par conséquent devenait chose due. Ah ! n'accoutumez pas vos amis à des marques constantes d'affection : au bout de peu de temps, ils seraient persuadés que vous les gâtez pour votre propre satisfaction, et que les privations que vous vous imposez pour eux, loin de vous coûter quelque peine, sont pour vous des sujets de réjouissance.

Camille, qui s'aimait par-dessus tout, et qui recherchait en toute occasion sa glorification immédiate, offrit aussitôt à Paul le sacrifice de Mirmont.

– Non, mon Paul, s'écria-t-elle, jamais je ne trahirai l'amitié que je t'ai vouée. Peut-être un jour seras-tu heureux de recourir à ma tendresse si pure et si désintéressée, quand le vide et la banalité des autres affections auront brisé ton cœur.

Enflammée de cette pensée, elle se sentit soudain blessée des dernières paroles de Mirmont. Il avait osé prétendre lui faire oublier Paul, – il parlait de cet oubli comme d'une chose qui honorerait Camille si elle devenait sa femme ?

Mademoiselle Frogé prit aussitôt la plume, et de sa plus belle écriture ferme et élégante, elle écrivit à son adorateur :

« Monsieur, je crains que mon silence ne vous ait paru un acquiescement à vos dernières paroles ; je regretterais de vous laisser dans cette erreur. Je ne puis consentir à vous épouser ni maintenant ni plus tard. Veuillez me croire néanmoins fort honorée de votre recherche. »

Elle signa tout au long Camille Frogé, data la lettre et écrivit l'adresse d'une écriture large et régulière ; puis, comme l'heure de sa seconde leçon était venue – toutes ces émotions lui avaient fait manquer la première, – elle sortit et, en passant devant un bureau de poste, elle jeta sa lettre à la boîte.

Cette action accomplie lui laissa une grande douceur dans l'âme ; on a beau aimer Paul Brécart, il est fort beau de refuser la main d'un homme tel que Mirmont. Camille pensa qu'elle avait droit à quelque récompense et regarda sa montre. L'heure de la seconde leçon se trouvait un peu entamée, bien peu... La jeune fille hésita un instant entre la passion et le devoir, – mais cet instant fut court ; d'un pas pressé, presque joyeux, elle se dirigea vers la place du Châtelet.

Devant la loge du concierge, elle hésita.

– Madame Brécart ? demanda-t-elle, au lieu de monter au hasard comme d'habitude.

– Madame est sortie, lui répondit-on sans la regarder.

– Et Monsieur ? dit-elle d'une voix altérée.

Le concierge, surpris de ce changement, leva les yeux sur la jeune fille, qui pâlit d'émotion contenue. Elle avait peur du regard de cet homme ; il lui semblait qu'il devait savoir pourquoi elle demandait M. Brécart.

– Monsieur n'est pas encore sorti depuis sa maladie, répondit-il en reconnaissant la visiteuse tardive qu'il avait maudite plus d'une fois. Il est tout seul ; sa belle-mère est partie d'hier soir.

Cet homme regardait Camille d'un air railleur ; il avait remarqué que son locataire accompagnait toujours cette belle personne quand elle sortait, et qu'il était parfois fort long à revenir ; on s'était même avancé, à la loge, jusqu'à plaindre cette pauvre madame Brécart. Camille monta l'escalier, poursuivie par le méchant sourire de cet homme qu'elle devinait derrière elle ; que lui importait ! Elle allait voir Paul et le voir seul ! Cette idée la rendait folle.

Elle sonna ; on ouvrit.

– M. Brécart ? dit-elle.

La bonne la fit entrer dans un grand cabinet de travail aux tentures sombres ; elle le connaissait bien. Que de fois, en l'absence de Paul, elle s'y était fait introduire sous prétexte d'y chercher des livres ! Elle aimait cette pièce qui, dans son idée, n'appartenait qu'au jeune ingénieur, car elle n'y avait jamais vu sa femme. Celle-ci y avait pourtant passé bien des soirées lorsque Paul terminait quelque travail pressé ! Mais un mal qu'on ignore n'est pas un mal.

Elle entra, fort timide, car la bonne n'avait pas pris la peine de l'annoncer, et elle ne savait que dire à l'homme qu'elle aimait. Les banalités de la conversation, qu'elle avait toujours si fort dédaignées, lui eussent été d'un grand secours, mais elle ne pouvait pas y recourir, faute d'usage. Paul, qui lisait, à demi couché sur une chaise longue, leva les yeux en lui souriant ; il croyait que c'était sa femme.

– C'est moi, dit Camille, ressaisissant son énergie ; j'avais besoin de vous voir.

Elle prit une chaise et s'approcha de lui. Une audace extraordinaire venait de s'emparer d'elle tout à coup, à la pensée que la Providence avait tout préparé pour cette rencontre.

– Comment allez-vous ? lui demanda le jeune homme, content de la voir, après tout, car il avait oublié ses griefs pendant sa convalescence ; d'ailleurs, ces torts étaient de ceux que l'amour-propre excuse aisément ; peut-on en vouloir à une aimable femme, belle et pleine de mérite, de vous avoir fait attraper, par l'attrait que lui inspirait votre présence, un rhume ou même une fluxion de poitrine ? Du moment où l'on n'en est pas mort, on ne saurait lui en garder rancune.

– Je vais très bien, se hâta de répondre Camille ; mais vous ?

– Oh ! moi, tout à fait bien. Le docteur s'entête à me retenir ici ; n'était que je ne veux pas contrarier Claire, je lui aurais désobéi depuis longtemps.

– Ne faites pas cela, cria Camille, ne risquez pas votre vie.

Elle s'arrêta... ne pourrait-elle donc se contenir, Mais quelle parole ne serait pas dangereuse ? Tout ce qu'elle dirait n'allait-il pas exprimer malgré elle sa joie et ses angoisses ?

Paul rit doucement ; les convalescents ont la joie facile, et la pensée qu'ils ont échappé à la mort leur fait trouver charmant tout ce qui les entoure. Ses yeux brillants de satisfaction rencontrèrent ceux de Camille, et il tressaillit, comme un homme distrait qui se réveille soudain de sa rêverie, en présence d'un danger inaperçu.

Que de choses ils disaient, ces yeux de Camille ! Noyés de larmes, débordant de tendresse, vivants, éloquents comme ses lèvres tremblantes, ils le contemplaient avec extase. Penchée en avant, amollie par le bonheur, ses mains jointes sur ses genoux, un vague sourire entourant sa bouche, elle adorait son idole. Le monde était bien loin ! Claire n'existait plus.

Paul sentit soudain qu'il avait été coupable. Les avertissements fugitifs que sa conscience lui avait donnés maintes fois lui revinrent tous ensemble. En un éclair il se rappela les gestes, les paroles qui l'avaient frappé jadis, et qu'il n'avait pas voulu juger, de peur d'avoir à les condamner.

– Mais ce n'est pas l'amitié, lui cria une voix intérieure ; l'amitié, si exaltée qu'elle puisse naître dans le cerveau d'une jeune fille romanesque, n'a pas ces yeux et ce sourire ! Elle est folle, mais tu es fou, toi, homme, de ne pas t'en être aperçu !

Une violente secousse ébranla l'âme de Paul. Un peu d'argile se remue toujours au fond de nous-mêmes : Camille était si belle, elle se donnait si bien à lui, corps et âme, dans sa contemplation muette, qu'il ne put s'empêcher de penser : – C'est dommage !

Il ne s'arrêta pas à cette pensée de regret ; regretter quoi, d'ailleurs ? Que son destin ne lui eût pas donné cette fille orgueilleuse, à l'âme étroite, au lieu de sa bonne Claire, qui l'aimait tant, et dont la beauté moins éclatante devait résister mieux aux outrages du temps et aux fatigues de la vie. Il se reprocha ce mouvement involontaire, et rentrant aussitôt dans le devoir et la raison, il détourna la tête.

– Claire n'est pas rentrée ? demanda-t-il à Camille, espérant par ce nom lui rappeler la réalité de leur situation.

Elle secoua négativement la tête et continua de le regarder. N'entendant pas de réponse, il avait levé les yeux sur elle ; mais son regard plus sérieux, loin de calmer Camille, fit monter à ses yeux le flot de larmes prêt à déborder depuis longtemps.

– Vous êtes fâché contre moi ? dit-elle d'une voix humble et suppliante. Pourquoi ? que vous ai-je fait ?

Paul, surpris, ne sut que répondre.

– Quelle idée ! dit-il après un moment d'hésitation ; je n'ai aucune raison d'être fâché contre vous.

– Mais vous me regardez d'un air de reproche, et vous me parlez de Claire !

Le jeune homme, faible encore de sa maladie, inquiet de la tournure que prenait leur entretien, essaya de tourner le tout en plaisanterie.

– Est-ce une punition, dit-il maladroitement, que de vous parler de Claire ?

Camille pâlit ; oui, c'était une punition, c'était bien plus, c'était un outrage ! Mais pouvait-elle le dire au mari ? Son orgueil et son amour brisèrent leurs dernières digues, et le flot de sa colère déborda soudain.

– Oui, c'est une offense ! Pourquoi me parlez-vous de Claire ? Claire que vous aimez, qui porte votre nom, qui vous soigne, qui vous sauve, tandis que moi, misérable que je suis, je ne suis rien, je ne puis rien ! Elle vous guérit quand c'est moi qui vous mets en péril, et vous me parlez d'elle ! Ne savez-vous pas que je voudrais oublier son existence, et c'est tout ce que je puis, dans ma charité chrétienne, de ne pas lui souhaiter la mort ?

Elle s'était levée. Paul, effrayé de sa véhémence, se leva aussi, et ils se regardèrent un instant face à face. Ce n'était pas la tendresse qui animait leurs visages ; c'était une terrible colère. Paul se sentait insulté dans ses sentiments de mari, mais il n'était plus possible de s'arrêter sur la pente, et Camille parlerait.

– Oui, reprit-elle avec sa flamme méchante dans les yeux, Claire est mon ennemie ! Autrefois, elle vous a empêché de remarquer mon amour ; sans elle, vous m'auriez choisie. Dieu sait que j'ai fait tout pour éviter de vous revoir ! C'est elle qui m'a ramenée à votre foyer ; c'est elle qui vous a, c'est elle qui se pare de votre amour, tandis que moi, on me fait ici la charité d'une bonne parole, comme on jette un os à un chien mendiant ! Ne me parlez pas d'elle ; – mais moi, moi qui vous adore depuis tant d'années, moi qui n'ai jamais eu de vous que des peines, n'ai-je pas droit à quelque bonté de votre part ? Dites-moi un mot d'amitié, et je ne sentirai plus mes blessures.

– Mademoiselle, dit gravement le jeune homme, vos sentiments offensent ma femme, et le mariage nous a rendus solidaires l'un de l'autre.

Camille se recula et se laissa retomber sur une chaise. Deux grosses larmes roulèrent sur ses joues pâles, et elle joignit les mains avec le geste de la prière, mais sans rien dire. Paul n'osait la regarder, craignant d'être trop brutal, et cependant, sentant qu'il fallait en finir avec cette situation intolérable :

– Vous m'auriez pas dû, reprit-il avec plus de douceur, me forcer à prononcer cette parole ; mais si Claire n'est plus votre amie.

– Ma place n'est plus ici ? répliqua la jeune fille, séchant soudain ses larmes au feu de l'orgueil blessé. Vous êtes cruel, monsieur ; de pareilles choses s'insinuent, mais ne se disent pas en face !

Paul s'inclina avec l'expression du regret et de la déférence, mais avec une froideur qui ne laissait plus d'illusions à Camille.

– Que penserait votre femme, reprit-elle, si je ne venais plus chez vous ? Je ne suis pas au nombre des heureux de ce monde, moi ! Je ne puis entreprendre quelque voyage de plaisir, lorsque les circonstances m'ordonnent de quitter la partie ! Il faut que je fasse bon visage aux événements ! Si vous croyez que je ne doive plus revenir dans cette maison, dites-le à votre femme, monsieur Brécart. Lorsqu'elle m'ordonnera de ne pas y rentrer, je m'inclinerai devant sa décision. Jusque-là je ne veux pas affliger mes vieux parents par la pensée que je subis un tel outrage ! Je ne veux pas m'exposer aux quolibets du monde ! J'ai aussi cependant quelque honneur à garder !

– Je ne dirai rien à Claire, mademoiselle, répondit Paul après un instant de silence pendant lequel Camille, frémissante, les yeux fixés sur lui, semblait lui jeter un défi. Je ne veux pas affliger ma femme... Vous me dictez ma conduite. Dorénavant je saurai éviter votre présence.

– Vous me haïssez donc bien ? murmura Camille, soudain radoucie et prête à fondre en larmes. Comment ai-je pu mériter votre haine ?

– Je ne vous hais point, répliqua Paul, osant enfin la regarder en face. Je n'ai pour vous que de bons sentiments, et je dois ajouter qu'en ce moment s'y joint la plus affectueuse...

– Pitié ? demanda Camille, voyant qu'il cherchait un mot.

– Je dirais pitié, si ce mot n'avait quelque chose de blessant, et vous blesser est bien loin de ma pensée ; mais je suis plein de regret pour la peine que vous inflige cet oubli momentané de mes devoirs et... des vôtres.

Camille frémit, blessée dans son orgueil par cette nouvelle leçon ; mais le regard honnête et ferme que Brécart attachait sur elle la rendit à son humilité factice, résultat de toute une vie dirigée à faux.

– J'accepte votre pitié, monsieur, de quelque nom que vous vouliez la parer... Paul, s'écria-t-elle, noyée dans ses pleurs, laissez-moi vous voir parfois, vous entendre, sentir que vous m'aimez un peu, que je compte dans votre vie, que vous pensez quelquefois à moi comme à une amie ! Je ne demande que cela, c'est si peu !

– C'était possible hier, c'est impossible aujourd'hui, répondit Brécart en se détournant.

Elle resta silencieuse un instant, puis se dirigea lentement vers la porte. Arrivée sur le seuil, elle se retourna.

– Je reviendrai ici, dit-elle d'une voix soumise, mais quand vous n'y serez pas. La seule grâce que je vous demande est de me laisser respirer de temps en temps l'air que vous avez respiré... C'est Claire qui me donnera de vos nouvelles, et mes rares visites ne seront pas longues, je vous le jure.

Elle disparut. La porte se referma, puis celle de l'escalier, et Paul se trouva seul.

Pendant un instant il resta immobile, renouant le fil de ses idées et essayant de se former un jugement sur cette situation impossible. De quelque côté qu'il la retournât, il n'y voyait point d'issue. Un coup de sonnette de sa femme qui rentrait lui rendit le calme.

– Il faut que Claire soit heureuse, se dit-il ; elle n'a pas mérité de voir son bonheur terni par un nuage ; l'âme de Claire est limpide comme son nom ; aucune trahison ne doit en troubler la sérénité.

La jeune femme entra. Son joli visage, animé par la course et la fraîcheur piquante d'une belle journée d'automne, respirait la joie et la confiance. Elle s'approcha de son mari et lui tendit son front sans rides.

– Es-tu très bien portant ? lui demanda-t-elle en appuyant sa main sur l'épaule du jeune homme. As-tu été bien sage ? T'es-tu suffisamment préparé à une démarche importante ? Oui, n'est-ce pas ? Eh bien, j'ai rencontré le docteur qui m'a grondée de ne pas t'avoir fait encore prendre l'air, et j'ai ramené un landau ; nous allons au bois de Boulogne. Mais pas sans cache-nez.

Elle allait et venait, choisissant un foulard, s'assurant que le grand paletot ouaté serait assez chaud... Paul l'arrêta soudain au passage et la prit dans ses bras.

– Claire, lui dit-il, d'une voix grave et tendre, tu es ma joie et mon orgueil ; ton amour, ma fidèle petite femme, est le prix de ma vie. Je sais ce que tu vaux, et je te remercie, toi, si parfaite, d'aimer une idole aux pieds d'argile comme moi.

– Toi, l'or le plus pur ! répondit Claire dans un élan d'orgueil et de tendresse, je ne t'aime pas encore assez pour ce que tu vaux !

Paul secoua doucement la tête, et enveloppant sa femme dans une étreinte plus étroite, il mit sur ses cheveux un baiser si sérieux et si solennel qu'elle en ressentit la gravité jusqu'au fond du cœur.

– Heureux, dit-il tout bas, celui qui peut vivre et mourir avec une telle compagne à ses côtés.

Le cœur de Claire se gonfla de reconnaissance. Ceux qui n'abusent pas des grands mots dans la vie usuelle leur trouvent un sens extraordinairement profond, quand des circonstances graves les amènent sur leurs lèvres. Les deux époux s'entre-regardèrent un instant. Toute la joie du passé, la confiance et la sécurité de l'avenir brillaient dans ce regard dépouillé de tout limon terrestre. Ils se serrèrent fortement la main, et leur étreinte se dénoua ; puis ils sortirent ensemble sans prononcer une parole, et bientôt, au doux soleil frileux des premiers jours d'hiver, ils roulèrent dans les avenues du bois de Boulogne, où la terre exhalait cette âpre senteur de feuilles tombées qui donne si bonne envie de vivre.

Au moment où Gustave Mirmont quittait son bureau, bien calfeutré dans son superbe paletot d'hiver, dûment garni de fourrure, noble et digne comme tout ce qui lui appartenait, on lui remit une lettre. Il la regarda en fermant à demi les yeux. Comme feu don Juan, son maître, il eût volontiers dit : *Sento odor di femina,* car l'écriture accusait une main féminine, mais le papier ne sentait rien. Or chacun sait que le papier d'une femme doit être parfumé de quelque odeur persistante, désagréable, énergique, dont le malheureux qui la reçoit ne peut se débarrasser qu'en détruisant le papier accusateur. C'est jusqu'ici le seul moyen infaillible que les femmes aient trouvé pour faire brûler leur correspondance. Cependant Mirmont ouvrit le pli et y trouva le billet bref et clair de Camille.

C'était un homme fortement trempé, et sur lequel les mécomptes de la vie n'avaient d'influence que lorsqu'ils l'atteignaient dans son intérêt ou dans son ambition ; il ne s'agissait point ici d'intérêt, car Camille était pauvre, ni d'ambition, puisqu'elle n'était rien ; mais l'orgueil du fonctionnaire se cabra sous ce coup de fouet.

Cette petite provinciale, cette maîtresse de piano, se permettait de le refuser sèchement, non plus sous le prétexte toujours acceptable que son cœur était pris d'avance, mais simplement pour qu'il la laissât tranquille, pour se débarrasser à jamais de ses assiduités. Mirmont grommela quelque chose entre ses dents, mit la lettre dans la poche intérieure de sa redingote, reboutonna son paletot, alluma un cigare et sortit.

L'air sec et piquant de cette belle journée, loin de le calmer, lui donna une sorte de fièvre, et le sang monta à son visage. Il allait sur le boulevard, d'un pas rapide et saccadé ; de temps en temps, il rencontrait un visage de connaissance et donnait un coup de chapeau, mais il n'eût pu nommer le porteur de ce visage. Deux ou trois fois on l'arrêta pour lui parler, un ami lui demanda s'il se portait bien, un autre lui conseilla de se soigner, car il travaillait trop... Mirmont les remercia de leur intérêt, et continua sa marche vers la Madeleine.

Jamais peut-être il n'avait senti gronder en lui un semblable orage, et la cause de ce violent dépit n'était pas difficile à trouver. Mirmont ne se piquait pas de rigorisme, et les sentiments que Camille lui avait d'abord inspirés n'avaient rien du respect jaloux qu'on éprouve pour la jeune fille dont on veut faire sa femme. Lorsqu'il s'était enfin aperçu que mademoiselle Frogé ne lui appartiendrait qu'à la condition de devenir madame Mirmont, la lutte s'était établie entre son amour, d'une part, son orgueil et son ambition, de l'autre, et si l'amour était vaincu, c'était parce qu'à l'aide d'un sophisme ingénieux, il avait réussi à le mettre d'accord avec son ambition, grâce à la beauté de Camille, qui lui permettrait de régner sur son entourage. Tout cela en pure perte ! Le grand et généreux effort qu'il avait fait en offrant à une fille pauvre et obscure l'éclat de sa position et de sa fortune n'était plus qu'un coup d'épée dans l'eau ! Gustave se trouvait ridicule et ne pouvait accepter cette situation blessante. Après qu'il eut bien regimbé intérieurement, il finit par se dire qu'après tout la partie n'était pas perdue. Camille l'avait refusé haut et sec, fort bien, mais au fond les choses restaient en l'état ; elle n'en épousait pas un autre, puisque celui qu'elle aimait était marié ; un jour ou l'autre, pour en finir avec son existence pénible et incertaine, elle épouserait le premier venu. Pourquoi ce premier venu ne serait-il pas lui ? Le tout était d'être là au bon moment.

Mais Mirmont n'était pas d'humeur à poursuivre longtemps d'amour une belle orgueilleuse ; il était expéditif, et d'ailleurs la situation que son entêtement lui faisait auprès de la jeune fille n'était pas de celles qu'on peut soutenir indéfiniment ; il fallait l'arranger pour brusquer un dénouement inévitable. Oui, mais comment ?

En faisant ces réflexions, Mirmont arriva à la hauteur des Champs-Élysées, et s'arrêta machinalement pour regarder défiler les voitures. Dans un landau de la compagnie, prosaïquement traîné par deux chevaux très ordinaires, il aperçut la physionomie radieuse de madame Brécart, et à côté, enveloppé jusqu'aux yeux dans les replis d'un cache-nez, son rival, Paul Brécart, qui se laissait promener avec l'air heureux et endormi des convalescents et des enfants qu'on rentre. Ils revenaient de leur promenade, un peu grisés par l'air piquant de ces premiers froids, et avec un vif sentiment de joie et de vie nouvelle dans leurs cœurs si bien unis. Ils ne voyaient personne, laissant errer leurs yeux sur le fourmillement de la foule, sur le chatoiement des couleurs, et par-dessous l'épaisse couverture de voyage jetée sur leurs genoux, on sentait que leurs mains s'étaient réunies.

Mirmont sentit une commotion électrique lui secouer le corps.

– Voilà le moyen ! se dit-il, éclairé par une lumière soudaine, qui ne venait peut-être pas d'en haut. Dès demain je mets le feu aux poudres.

Délivré désormais de toutes ses tribulations, car il ne doutait plus de la victoire, Gustave Mirmont rentra dans Paris du pas d'un triomphateur.

Le soir s'assombrissait ; déjà le gaz était allumé partout ; dans la rue, les passants marchaient vite pour se réchauffer, et l'on voyait des tourbillons de fumée sortir de toutes les cheminées. Les ménagères allumaient le feu pour l'arrivée du mari revenant de son bureau, ou pour les enfants sortant de l'école. Dans les quartiers pauvres du Marais, le long des quais bordés de hautes maisons vieilles et laides, qui s'en iront bientôt, on sentait que l'heure du dîner approchait, à l'odeur des ragoûts confectionnés dans les petits restaurants et chez les marchands de vin. Au bout de ce quai, posé comme une borne qui dirait à la vie : Tu n'iras pas plus loin ! l'hôtel de la Trémouille, sombre et muet, garde l'entrée d'une rue triste, où l'omnibus qui la traverse toutes les cinq minutes n'arrive pas à mettre même un semblant de circulation. Le grand hôtel regarde la Seine, avec ses fenêtres sans vitres, souvent même sans châssis ; le campanile élégant qui le surmonte semble, dans l'obscurité, la niche de quelque être invisible, peut-être malfaisant ; des rumeurs étranges, craquements de vieilles charpentes, effritement de pierres vieillies, effondrement de balustres rongés des vers, frappent l'oreille du passant : dans notre Paris si moderne, si remuant, si sceptique, ce vieil hôtel semble une histoire de revenants en permanence.

Après avoir quitté Paul, Camille était allée donner ses leçons machinalement ; il fallait bien faire quelque chose ! Elle avait retrouvé sa justesse de doigté, sa scrupuleuse obéissance au texte, pour enseigner à trois ou quatre petites filles récalcitrantes l'exécution matérielle, non idéale, de quelque morceau des maîtres ; et puis elle s'en était revenue lentement, pensant à la scène du matin, engourdie dans une sorte de torpeur douloureuse et incapable de se secouer pour réfléchir et prendre une résolution. Évitant les endroits populeux, elle avait pris cette sombre rue du Petit-Musc, mal pavée, privée de trottoirs, où son pied mal assuré se heurtait souvent à une pierre ; puis elle se trouva à l'angle de l'hôtel, et s'arrêta surprise.

Elle n'était jamais venue là, et l'endroit lui paraissait lugubre. À sa gauche, un vaste espace nu, quelques arbres, une estacade qui se prolonge dans la Seine ; en face, l'île Saint-Louis, sombre et triste, plus encore de ce côté que de tout autre, car le vent du nord et les pluies d'hiver ont revêtu les maisons d'une teinte plus noire et plus funèbre que sur la rive opposée ; la Seine coulait là, au bas d'une berge caillouteuse, et tout était désert. La faible clarté du jour mourant s'effaçait dans le ciel au-dessus des maisons de l'île, et de ce côté du monde, tout semblait condamné au froid, au silence, à la décrépitude.

L'omnibus qui passait ébranla les châssis sans vitres du vieil hôtel, puis le bruit s'éteignit au loin dans la rue. Camille frissonna et traversa le quai.

Elle était bien lasse, et elle s'appuya sur le parapet pour se reposer. Le froid de cette pierre lui était familier ; que de fois elle y avait posé ses doigts brûlants pendant ses promenades du soir ! Elle frissonna cette fois et retira sa main, puis elle replia un coin de son vêtement et s'accouda dessus. Tout ce qu'elle voyait était triste, triste à en mourir ; elle pensa que si quelque désespéré voulait en finir avec la vie, c'est en ce lieu qu'il devait apporter son dernier désespoir.

La fraîcheur de la pierre perçait à travers le drap que Camille avait mis sous ses mains ; elle toussa un peu, puis plus fort... Elle n'aurait pas besoin de précipiter sa fin, à elle ; la mort viendrait la prendre assez vite ! Ils ne savaient pas ce qu'ils disaient ceux qui attribuaient à des causes nerveuses l'horrible toux qui lui déchirait la poitrine ! Qu'importait l'absence de tout fâcheux symptôme ! Qu'importait sa force juvénile et l'éclat de ses yeux ! Elle se sentait mourir, il n'était pas besoin d'autre preuve. Et à la pensée de la mort, Camille, malheureuse et désespérée, se sentit prise d'un immense amour pour la vie.

Paul s'était mal conduit envers elle ; il eût du avoir quelque pitié, comprendre que cette jeune fille souffrait le martyre depuis des années, deviner que son cœur appartenait en entier à cet indifférent, et qu'elle n'en voulait rien soustraire. Ah ! s'il eût voulu, se disait Camille, s'il eût accepté la tendresse que je lui offrais, rien ne m'eût semblé pénible ! S'il avait compris ma peine, s'il m'avait tendu la main, je crois que, par reconnaissance pour lui, j'aurais presque aimé Claire ! Mais cette froideur, cette cruauté...

Elle n'avait pas besoin d'aimer Claire, puisque Paul avait été sans pitié ; mais il faudrait aller la voir, puisque c'est seulement par elle qu'elle aurait des nouvelles du jeune homme. L'amertume de la trahison lui monta aux lèvres, et pendant un moment elle eut dégoût d'elle-même ; mais les personnes de la trempe de Camille ne se tiennent pas longtemps rigueur, elle trouva un biais pour se réconcilier avec elle-même. C'est par esprit de charité qu'elle irait voir Claire : elle apporterait à cette femme frivole et indifférente au bien les conseils désintéressés de sa sagesse ; elle tâcherait de rendre moins indigne de Paul la femme qui partageait sa vie ; c'était là encore un moyen d'être utile à celui qu'elle aimait.

Camille se remit en marche lentement. Six heures étaient sonnées depuis longtemps, mais elle n'avait pas faim et ne se sentait pas pressée de rentrer. Elle aimait la vie, et depuis un moment l'aimait plus que jamais. Eh bien ! elle aurait encore de bonnes heures dans le petit salon havane de madame Brocart. Claire n'avait jamais pensé à se soustraire à son influence ; sauf quelques mouvements d'humeur, fruits d'un caractère qui ne s'était pas suffisamment châtié, elle avait toujours témoigné à son amie des sentiments d'affectueuse déférence. Et puis, qui sait si Paul ne serait pas touché de voir celle dont il repoussait la tendresse tout idéale, tout immatérielle, consacrer ses efforts à son bonheur, en s'efforçant de perfectionner sa femme ! Dans l'idée de rendre sa rivale plus digne d'amour et de respect, Camille voyait une grandeur mélancolique qui la consola presque de son chagrin.

Chez eux, M. et madame Frogé attendait l'enfant prodigue en retard. La salle à manger, bien close, avec sa lampe de cuivre bien brillant, avait son air de bonne humeur ordinaire, sauf que les chardonnerets dormaient profondément. Un bon feu ronflait dans le poêle, un poêle à niche peint en vert avec un dessus de marbre noir, comme on en faisait autrefois ; sur le marbre, dans une serviette, se réchauffaient des marrons. Des marrons, les premiers de l'année ! une surprise que Sébastien avait rapportée à Isabelle. Isabelle l'avait accueillie avec joie, mais les marrons menaçaient de refroidir complètement, et la joie s'était éteinte. Jamais, depuis qu'elle était avec eux, Camille ne s'était fait attendre ainsi. À six heures, elle apparaissait toujours, plus ou moins sérieuse, – d'autres auraient dit maussade, – mais elle était là !

– Dis donc, Belle, fit timidement l'ex-professeur, est-ce qu'elle va se mettre à ne plus rentrer pour dîner à présent ?

Belle haussa les épaules et s'appliqua à couper nerveusement en quatre une imperceptible croûte de pain tombée sur son assiette.

– Veux-tu que je te dise ? dit enfin madame Frogé, voyant que la miette de pain ne se laisserait pas réduire en fractions aussi minimes, je vais faire servir la soupe.

– Non, non, attends ! implora le bon Sébastien, cela lui porterait un coup, si elle nous trouvait en train de manger ! Il lui est peut-être arrivé quelque accident !

– Les accidents, Sébastien, quand il en arrive, on vient toujours vous prévenir et vous rapporter les personnes ; j'ai cousu l'adresse de Camille à tous ses pardessus, de sorte que, même si on lui volait son porte-monnaie où elle a des cartes, on saurait où nous trouver. Et puis... tout ça, c'est notre faute, s'écria la bonne dame, éclatant enfin ; nous lui avons permis de sortir seule le jour, elle a pris la permission de sortir seule le soir, et un de ces quatre matins elle ne rentrera plus du tout, que quand ça lui fera plaisir !

– Oh ! Belle ! fit M. Frogé abasourdi par tant d'éloquence et effrayé par tant de sévérité.

– Oui, mon ami ! c'est comme je te le dis ! Camille est une originale ! Elle ne fait rien comme personne, et tout cela finira par quelque désagrément. Je suis lasse de ses fantaisies, et il faudra bien qu'elle s'en corrige.

Madame Frogé saisit la sonnette d'une main tremblante d'indignation.

– Apportez la soupe ! cria-t-elle d'un ton péremptoire à la vieille cuisinière sourde.

– Mais, madame, mademoiselle n'est pas rentrée.

– Apportez la soupe ! recria madame Frogé.

Elle avait l'air si imposant que la vieille femme se retira. L'instant d'après elle réapparut, le visage bouleversé.

– Madame... disait-elle.

– Un malheur, s'écria madame Frogé en se levant tout à coup, la serviette à la main ; Sébastien moins leste appuya les deux mains sur le bord de la table pour se lever.

– Oui, madame, mais ce n'est pas ma faute... C'était une soupe à l'oseille... et la soupe à l'oseille n'aime pas à être réchauffée... la soupe a tourné, madame ! oh ! mais tout à fait ! ça n'est plus que de l'eau ! Qu'est-ce qu'il faut faire ?

Madame Frogé avait repris sa place, et Sébastien avait ôté ses mains de dessus la table.

– Nous nous passerons de soupe ! conclut la tante Belle, heureuse d'en être quitte à si peu de frais, après ce qu'elle avait redouté.

– Pas de soupe ! Seigneur Dieu ! dîner sans soupe ! gémit le vieux cordon bleu. Si vous vouliez, madame, je vous ferais bien vite une bonne petite soupe à l'oignon...

– Pas de soupe ! proféra madame Frogé : apportez le rôti !

La mort dans l'âme, la cuisinière retourna à son fourneau.

– Il me semble, Belle, fit timidement observer Sébastien, qu'on pourrait bien faire une petite soupe à l'oignon, ce n'est pas long...

– Je veux bien, mon ami, répondit son épouse avec douceur ; mais si elle rentre pendant ce temps-là, elle croira que nous n'avons pas eu l'ennui d'attendre à cause d'elle !

Sébastien ne souffla plus mot, et le rôti parut. Au moment où madame Frogé enfonçait le grand couteau dans la viande saignante, la sonnette retentit, et l'instant d'après Camille entra dans la salle à manger.

– Vous êtes à table ? dit-elle d'une voix lassée.

– À l'heure qu'il est ! répondit la tante Belle, sans quitter des yeux la fourchette à découper.

– Est-il si tard ? fit Camille avec indifférence.

Sébastien la regarda et remarqua sa pâleur ; une légère toux, provoquée par la chaleur de l'appartement, secoua les épaules de la jeune fille ; elle tournait le dos, en déposant son pardessus ; d'un clignement d'yeux, il l'indiqua à sa femme. Celle-ci, soigneuse de sa dignité, jeta un regard rapide à Camille, et le grand couteau trembla légèrement dans sa main.

– D'où viens-tu ? demanda-t-elle d'un ton moins sévère.

– J'ai donné mes leçons, répondit la jeune fille d'un air distrait.

– Si tard ?

– Je me suis arrêtée à regarder couler l'eau, répliqua-t-elle de cette voix endormie que lui inspirait l'indicible ennui de cette maison, pourtant si douce et si hospitalière.

Les époux échangèrent un nouveau regard, et la tante Belle passa à Camille son assiette servie.

– Mon Dieu ! pensa Sébastien, elle ne s'aperçoit seulement pas qu'on ne lui a point donné de potage ! Que lui est-il arrivé ?

Camille mangeait lentement, par contenance, et certainement, comme le pensait son oncle, elle ne s'était pas aperçue de l'absence du potage. Que lui importait un mets de plus ou de moins ! Le vieux Frogé se sentit l'âme émue.

– Tu as eu froid, n'est-ce pas ? lui dit-il avec bonté.

– Oui, mon oncle.

– As-tu toussé en venant ? demanda Isabelle.

– Oui, ma tante.

Camille se rappela le sombre endroit du quai, les lumières reflétées dans l'eau grise et terne ; la pensée du désespéré qui viendrait finir là sa malheureuse vie lui revint avec force, et elle frissonna.

– Tu es malade ? demanda madame Frogé avec intérêt.

– Je le suis toujours.

Cette réponse laconique froissa les sentiments affectueux de la bonne dame.

– Ce n'est pas une raison pour nous faire attendre à l'heure des repas, dit-elle avec une légère nuance d'indignation. Cela gâte l'estomac, et ton oncle ne peut pas supporter ces changements dans ses habitudes. Aujourd'hui, grâce à ta promenade, nous nous sommes passés de soupe...

– Pourquoi donc, ma tante ? demanda Camille avec un étonnement très naturel.

– Parce que le potage avait tourné à t'attendre ; la soupe à l'oseille ne souffre pas de ces retards !

Camille pensa qu'il était fort regrettable que la soupe à l'oseille fut si susceptible ; mais, heureusement pour elle, elle garda dans son âme le secret de cette remarque malsonnante. Son silence calma un peu sa tante, qui acheva de reprendre sa sérénité en mangeant. Quand le repas fut terminé, madame Frogé annonça qu'elle ferait faire un peu de thé, – autant pour en régaler Sébastien, qui en était extrêmement friand, avec de la crème et beaucoup de sucre, – que pour réchauffer Camille, qui ne paraissait pas avoir reconquis son équilibre.

– Eh ! Belle, dis donc, cela remplacera le potage fit M. Frogé d'un air content, quand il entendit donner cet ordre ; seulement, au lieu de l'absorber au commencement du dîner, nous le prendrons à la fin !

Le bon vieillard était si content qu'en passant auprès de Camille, il faillit lui donner une petite tape d'amitié ; mais il se retint en songeant qu'après l'incartade de sa nièce, il convenait de garder plus de sérieux. La nappe fut enlevée, un plateau fit son apparition, avec trois jolies tasses blanches à filets d'or en porcelaine de Sèvres, marquée au chiffre de Louis-Philippe ; – ce service était pour Sébastien Frogé un certificat de courage civil ; après les journées de 1848, il l'avait acheté chez un revendeur, à qui une âme timorée l'avait cédé, pour se défaire de cette pièce compromettante. Sébastien portait haut la tête quand il parlait de cette emplette :

– Les barricades fumaient encore, monsieur ! disait-il en terminant son récit.

Madame Frogé, tout en faisant les préparatifs de cette gâterie, ne pensait qu'à une chose : pourquoi Camille avait-elle cet air à la fois navré et héroïque ? Il devait s'être passé quelque chose d'extraordinaire ! Mais comment l'apprendre ? Une idée lui vint ; à la vérité, c'était une idée élémentaire, mais elle n'en était pas moins lumineuse ; d'ailleurs, les idées lumineuses ne sont-elles pas pour la plupart élémentaires ?

– N'est-il venu personne, aujourd'hui ? demanda-t-elle à la cuisinière sourde, au moment où celle-ci apportait l'eau chaude.

– Plaît-il ! demanda la vieille, qui mit sa main en cornet, car madame Frogé avait parlé bas, exprès probablement.

– M. Mirmont est venu ce matin pendant que vous étiez sortis tous deux, répondit Camille, non sans déplaisir, mais poussée par le sentiment du devoir.

Cette fille étrange, qui payait sa conscience de si mauvaises raisons, n'eût voulu ni mentir, ni même dissimuler ; elle ne perdait le sens du juste que lorsqu'il s'agissait de son amour.

– M. Mirmont ! ce matin ! C'est impossible ! s'écrièrent les deux époux ensemble. À cette heure-là, ajouta Sébastien, il devait être à son bureau.

– Il n'y était pas, je vous le certifie, répondit Camille, qui ne put s'empêcher de sourire à la remarque de son oncle.

– Et qu'est-ce qu'il voulait ? demanda madame Frogé.

– Il voulait me demander en mariage, répondit la jeune fille, dont la mauvaise humeur revint aussitôt, en songeant aux reproches qu'elle allait essuyer.

– Eh bien ?

Les deux époux retinrent leur haleine après cette question, pour mieux entendre la réponse ; mais madame Frogé, dès lors, avait peu d'espoir, car sa nièce n'avait pas la figure d'une jeune personne qui épouserait Gustave Mirmont.

– Je l'ai refusé, répliqua laconiquement Camille.

Si prévue que fut la réponse, le coup était rude, et nos amis en furent désarçonnés, au point que la tante Belle oublia de recouvrir sa théière.

– Refusé, Camille, tu as refusé cet homme-là.

– Oui, ma tante, à mon grand regret ; mais je ne l'aime pas. Recouvrez donc votre thé, ma tante, il ne vaudra plus rien.

Machinalement, madame Frogé obéit à sa nièce, puis elle répéta :

– Refuser cet homme-là ! Mais, Camille, tu as perdu la tête !

– C'est vraisemblable, répondit la jeune fille ; mais que voulez-vous que j'y fasse ! J'ai grand mal à la tête, je vais aller me coucher.

– Non pas, Camille, dit Sébastien, attends un peu.

Le bonhomme, grandi soudain par l'autorité paternelle qu'il venait de revêtir, avait parlé d'un ton si peu en harmonie avec sa bonhomie ordinaire que sa nièce surprise le regarda fixement.

– Nous t'avons donné beaucoup de liberté, Camille, trop peut-être, je commence à m'en convaincre ; mais ce n'est pas une raison pour traiter à la légère une chose aussi sérieuse que ton établissement. À la mort de ton père, c'est nous qui t'avons appelée auprès de nous, assumant ainsi toute la responsabilité paternelle ; nous avons cherché à t'établir. M. Mirmont est un parti bien au-delà de nos espérances ; il n'a aucune tare, rien dans sa personne ne peut motiver de répugnances ; tu es certainement libre de refuser sa main, mais au moins dois-tu nous donner une bonne raison à l'appui de ta résolution.

Camille éprouva pour son oncle un respect nouveau, né spontanément du ton qu'il prenait avec elle, et c'est avec une véritable déférence qu'elle lui répondit :

– Mon cher oncle, l'amour ne se commande pas : je n'aime pas M. Mirmont.

– Cela ne suffit pas, Camille, insista madame Frogé ; l'estime et l'amitié peuvent souvent remplacer l'amour.

La jeune fille eut bien envie de leur donner la vraie raison de son refus ; en avouant qu'elle en aimait un autre, ne se débarrasserait-elle pas de ces fâcheuses instances ? Mais elle réfléchit et se dit que ce serait le signal d'une nouvelle persécution ; elle se décida à garder le silence.

– Tu nous caches quelque chose, reprit Sébastien toujours grave ; jusqu'ici nous avons respecté ton secret, mais nous avons maintenant droit à le connaître, puisqu'il met ton avenir en question.

– Mon oncle, répartit Camille, je n'ai pas de secret qui puisse mettre mon avenir en question ; je vous jure que si je refuse M. Mirmont, ce n'est pas parce que je désire en épouser un autre ; je pense que cette assurance vous suffit ; j'ajouterai même que si je voulais me marier, je n'aurais aucune raison pour refuser la main de votre ami.

Cette réponse ambiguë prit au dépourvu les deux vieillards, qui se regardèrent et ne surent que répondre. Cependant madame Frogé, plus habile, insista encore.

– Tu t'ennuies avec nous, Camille, c'est clair comme le jour ; pourquoi n'acceptes-tu pas un mari qui te ferait une belle position dans le monde et qui te procurerait mille satisfactions d'amour-propre et de luxe que tu ne peux avoir chez nous ?

– Je ne me marierai pas par ambition, ma tante, répondit la jeune fille. Et maintenant, si vous voulez me donner une tasse de thé, je l'accepterai avec plaisir.

Sa tante lui donna la tasse de thé demandée ; mais la gaieté et la confiance ne revinrent plus autour de la table. Les époux sentaient bien qu'ils ne comptaient pas dans la vie de leur nièce, et qu'elle les acceptait tout au plus comme des nécessités.

En disant des nécessités, nous ne voulons point conclure que Camille n'eût aucun attachement pour ces vieillards, si bons et si affectueux ; mais il est des nécessités que l'on finit par aimer ; on a une sorte d'affection pour les objets dont on se sert journellement, pour son logis, ses meubles, ses livres surtout ; c'est un attachement de cette espèce qui liait Camille à ses vieux parents, et quelquefois elle les trouvait bien incommodes.

Quelques instants après, dès qu'elle le put décemment, la jeune fille se retira.

Au moment où elle s'approchait pour lui dire bonsoir, Sébastien, profitant de ce que sa femme remettait en place le fameux service, se pencha vers sa nièce pour l'embrasser et lui dit à l'oreille :

– Surtout, Camille, ne t'attarde pins ; cela fait trop de chagrin à ta tante.

La jeune fille sourit et se retira. Elle avait à peine atteint la porte de sa chambre que la tante Belle la rejoignit.

– Écoute, Camille, lui dit l'excellente femme en lui prenant la main, je t'en supplie, ne nous donne plus d'inquiétude ! Tu ne peux pas te figurer le mal que cela fait à ton oncle !

– Soyez tranquille, ma tante, répondit mademoiselle Frogé.

Isabelle revint auprès de son mari, le cœur serré, et en le regardant attentivement, elle vit bien qu'il éprouvait la même impression.

– Si seulement, soupira Sébastien, elle nous avait dit qu'elle nous aime, qu'elle se trouve bien auprès de nous !

– Camille ne ment jamais, répartit madame Frogé avec un peu d'amertume ; pourquoi dirait-elle ce qu'elle ne pense pas ?

Ils soupirèrent de concert ; c'est une manière d'être moins malheureux, quand on s'aime.

– Sais-tu, Belle, reprit Sébastien après un moment de réflexion, je commence à croire que Camille n'est pas si parfaite ?

– La pauvre enfant ! répondit sa femme le cœur gros de tristesse.

XII

Madame Brécart était assise dans son petit salon, auprès d'un feu aimable, enterré sous les cendres chaudes, un de ces feux de bois qui durent toute l'après-midi sans qu'on ait besoin d'y toucher et qui vous inspirent les pensées les plus agréables. Paul était retourné à ses devoirs ; elle l'avait bien et dûment empaqueté, et de sa fenêtre, elle avait suivi des yeux la voiture qui l'emportait, car elle ne l'eût pas laissé sortir à pied ; ensuite, après s'être assurée que Félix, fort sérieux, bâtissait des constructions importantes avec une foule de morceaux de bois, sous l'œil attentif de sa bonne, devenue sa bonne après avoir été celle de sa mère, madame Brécart s'était enfin installée dans un bon fauteuil, afin de terminer une superbe tapisserie commencée depuis longtemps et destinée à faire un écran pour la cheminée de son mari.

Que d'événements depuis le jour où elle avait reçu par la poste, à Saint-Martin, cette tapisserie échantillonnée envoyée de Paris, et qui avait fait alors l'admiration de la petite ville ! Pendant huit grands jours, il avait fallu montrer cet ouvrage de Pénélope à toutes les dames de l'endroit.

– Mais c'est au petit point, ma bonne ! s'était-on écrié de toutes parts. Vous n'en viendrez jamais à bout !

La jeune femme souriait avec orgueil ; pour son mari, de quoi n'eût-elle pas été capable ! Et d'ailleurs Bébé marchait seul, et sa mère lui avait promis, si elle se trouvait jamais dans un embarras par trop pressant, de lui céder sa vieille domestique qui la servait depuis trente ans.

Dix-huit mois s'étaient écoulés ; le voyage à Paris s'était présenté inopinément, puis la maladie de Paul... Le fameux écran avait été bien abandonné ! Mais le nouvel an approchant, Claire s'était reprise d'une ardeur nouvelle ; d'ailleurs, sa mère, en la quittant, lui avait enfin laissé sa vieille servante ; les fameux changements de domestiques, si odieux à Paul, allaient être bannis pour toujours du chapitre de leurs misères domestiques, et c'était le moment ou jamais de terminer cet ouvrage.

Qui saura jamais dire de quelle passion l'on se prend pour une tapisserie ? Est-ce le travail de la combinaison des nuances ou celui du nombre des points ? Est-ce le plaisir de voir s'épanouir sur le canevas des fleurs qui ne doivent pas mourir ? Est-ce enfin le souvenir des pensées tristes ou gaies qui accompagnent le travail et dont le réseau se noue imperceptiblement autour de l'ouvrière ? Il serait difficile de le dire, mais la tapisserie n'est pas un ouvrage banal comme tant d'autres, et l'attention, sans cesse surexcitée, donne au cerveau une vivacité d'impressions qu'il n'aurait pas en d'autres circonstances.

Claire revoyait sa vie en retrouvant les laines de couleur douce, un peu effacée, qui devaient remplir les vides du canevas. Elle avait été très heureuse en commençant cet ouvrage, – plus heureuse peut-être encore le jour où elle l'avait jeté au fond d'une corbeille en lui promettant de l'en sortir à Paris ! Paris, le rêve de son mari, où sa carrière recevait une consécration définitive, où son talent obtenait sa récompense.

Paris avait-il tenu tout ce qu'il promettait ? Claire se le demandait en piquant son aiguille agile dans les trous du tissu. Oui, certes, il avait tenu ses promesses, et au-delà, en ce qui regardait la gloire, la fortune et le bien-être ; mais le bonheur était-il venu ? Sans doute ! Et le cœur de la jeune femme se gonfla d'une joie profonde en pensant à cette après-midi de l'avant-veille si belle et si lumineuse, où elle était allée au Bois avec son mari, guéri et joyeux, plus dévoué peut-être encore et plus affectueux qu'autrefois. Cependant une amertume secrète assombrissait ce passé de la veille. Claire avait l'impression vague d'avoir souffert depuis son arrivée à Paris ; des peines nouvelles étaient nées dans ce charmant logis, arrangé avec tant d'amour. L'image de Camille, après avoir flotté indistincte pendant un moment, s'arrêta tout à coup entre madame Brécart et son ouvrage.

Camille n'était pas bonne. Cette pensée, que la jeune femme avait cent fois chassée avec succès, revenait sans cesse, et maintenant Claire ne pouvait plus la conjurer, comme autrefois, avec le souvenir des bonnes œuvres de son amie. Camille avait joué dans sa maison le rôle du mauvais génie ; avec elle étaient entrées dans cet aimable nid, où le bonheur devait couver les époux sous son aile, les paroles acerbes et les reproches injustes de son mari ; avec Camille s'était présenté le devoir, grognon, déplaisant, hostile, là où n'avaient jamais pénétré que la sérénité du travail aimé, de l'effort qui ne coûte rien, parce qu'il est dicté par l'amour, que la joie de faire bien pour charmer ce qu'on aime... Était-ce mal, en vérité, que d'aimer son devoir, et fallait-il se détacher des biens de la terre au point de n'apporter dans son intérieur qu'un visage résigné, au lieu du sourire du contentement de soi-même ? Fallait-il fuir comme un remords les louanges de sa propre conscience ?

Claire sourit doucement. – Non, pensa-t-elle, Camille ne m'apprendra pas à haïr la vie pour éprouver ensuite l'ineffable joie de lui pardonner ! Ce n'est pas sa morale étroite et lugubre qui est la vraie ; ces façons ascétiques ne sont plus de notre temps, et pourvu que je ne sois une bonne femme pour mon mari, une bonne mère pour mon enfant, une âme droite et compatissante envers tous ceux qui m'approchent, il me semble que je pourrai mourir en paix, sans craindre un jugement sévère !

Ici une pensée troubla la méditation de madame Brécart. N'était-elle pas trop rigoureuse envers son amie ? En plongeant au fond de sa conscience, elle s'aperçut soudain, avec un certain effroi, qu'elle ne l'aimait plus, oh ! mais plus du tout !

– Elle ne m'a pourtant rien fait ! se dit la jeune femme, consternée de sa découverte, est-ce que je serais méchante ?

Elle lui avait fait quelque mal cependant, car c'était bien à Camille que revenait la responsabilité de la maladie de Paul ; mais tout cela était fini, elle n'eût plus dû s'en souvenir ; pourquoi ce mauvais sentiment qui venait malgré tout, et qui semblait grandir à chacun de ses efforts pour le vaincre ?

Afin de changer le cours de ses idées, elle alla embrasser son fils dans la pièce voisine, où il bâtissait toujours de superbes châteaux de bois blanc.

– Dis-moi, Félix, m'aimes-tu bien ? lui demanda-t-elle, poussée par le besoin de se défendre contre l'idée de sa propre méchanceté.

– Oui, répondit Bébé en hochant gravement la tête, et papa aussi, et Marie aussi, ajouta-t-il en indiquant la vieille bonne. Il ajouta un morceau de bois à son œuvre, puis pencha la tête de côté pour l'admirer. – Tu sais, mère, reprit-il au bout d'un moment, c'est Camille que je n'aime pas !

Pour confirmer son dire, il renversa d'un coup de main l'échafaudage léger, qui s'écroula avec un bruit assourdissant, puis, sans perdre un moment, le futur ingénieur se remit à l'ouvrage.

Claire rentra dans le salon, presque effrayée de ce qu'elle venait d'entendre ; son antipathie pour Camille était-elle si naturelle que l'enfant lui-même n'eût pu en défendre son âme innocente ? Ou bien était-ce elle qui lui avait inspiré, sans le vouloir, ce sentiment malsain qu'elle eût voulu anéantir ?

Au moment où elle reprenait son ouvrage, on lui annonça M. Mirmont.

Cette visite n'avait rien de surprenant, cependant madame Brécart tressaillit avec une certaine joie, espérant vaguement qu'elle allait apprendre quelque chose au sujet de Camille ; si Mirmont eût pu lui annoncer qu'il épousait Camille dans les vingt-quatre heures, et qu'il partait aussitôt avec elle pour l'Algérie, elle lui eût vraisemblablement sauté au cou.

Mirmont n'avait pas l'air de partir pour l'Algérie mais il n'avait pas non plus l'air d'un homme qui vient annoncer son mariage prochain. Il s'assit en face de Claire avec sa grâce accoutumée, et pendant dix belles et bonnes minutes, il lui tint les propos qu'un célibataire aimable et galant tient à une jeune femme honnête et jolie qui le reçoit pour quelques instants.

Comme il ne parlait pas de Camille, ce fut elle qui prononça son nom, car elle était impatiente.

– Votre partie de théâtre a-t-elle réussi ? lui demanda-t-elle sans le regarder.

– Comment l'entendez-vous ? riposta Mirmont, enchanté de cette question qui lui ouvrait les voies.

Claire sourit, et, levant les yeux sur lui avec enjouement :

– J'entends vous demander si vous avez eu le plaisir que vous vous promettiez ? Mademoiselle Frogé a-t-elle daigné y assister ?

– Mademoiselle Frogé a daigné y assister, et j'en ai eu beaucoup de plaisir, mais... je ne sais si je dois vous faire ma confidence tout entière...

– Vous avez des confidences à faire, cher monsieur ? Vous ne trouverez jamais de confidente plus discrète !

Mirmont prit un air sérieux et s'approcha imperceptiblement.

– J'ai eu l'honneur, dit-il à demi-voix, de demander la main de mademoiselle Frogé.

– Les parents vous l'ont accordée ? fit Claire avec un tressaillement de joie dans le cœur et une douce ironie dans la voix.

– Ses parents ne me l'auraient, je crois, pas refusée, reprit le prétendant ; mais avant de me laisser arriver jusqu'à eux, mademoiselle Frogé m'a définitivement refusé.

– Elle ! s'écria Claire, c'est elle qui vous a refusé ! Et sous quel prétexte, grand Dieu ?

Mirmont garda le silence un moment. Parler était difficile, mais se taire l'était plus encore, et d'ailleurs, s'il se taisait, à quoi bon cette visite ? Il eût mieux fait de s'abstenir.

– Le prétexte qu'elle m'a donné, répondit-il lentement, est de nature si délicate que je me crois à peine autorisé à vous le révéler, à vous, sa meilleure, sa seule amie.

Claire le regardait avec des yeux effarés ; il continua :

– Ce prétexte n'est pas de nature à diminuer l'estime que m'inspire mademoiselle Frogé, je me borne à regretter d'être venu si tard. Vous, madame, vous qui avez tant d'empire sur mademoiselle Camille...

Claire eut bonne envie de lui demander s'il se moquait d'elle, mais de peur de l'interrompre elle s'abstint.

– Vous devriez, chère madame, lui faire comprendre que son véritable devoir, la véritable sagesse lui commandent de renoncer à une affection qui ne peut aboutir à rien, sinon à lui causer, à elle et à d'autres, de longs et redoutables chagrins.

– Qu'y a-t-il donc ? demanda madame Brécart, envahie par une sorte de terreur ; elle sentait que Mirmont ne lui eût pas parlé sur ce ton si la circonstance n'eût pas eu d'importance pour elle.

– Mademoiselle Frogé m'a donné pour motif de son refus une raison devant laquelle je ne puis que m'incliner, mais qu'elle pourrait écarter, je n'en doute pas ; je lui ai certifié que si elle voulait bien revenir sur sa décision, de mon côté j'oublierais absolument sa confidence, et que les sentiments qu'elle m'inspire ne subiraient aucune modification...

– Mais, monsieur, qu'est-ce donc ? insista Claire, au plus haut degré de la surprise et de la crainte.

– En un mot, chère madame, et je ne croyais pas vous

l'apprendre, mademoiselle Frogé aime un homme marié et veut rester fidèle à cet amour.

– Camille ! s'écria Claire en se levant, c'est impossible ! Non, non, cela ne se peut pas... monsieur ; elle ne vous a dit cela !

Mirmont s'inclina respectueusement sans mot dire ; madame Brécart joignit ses deux mains, qu'elle pressa douloureusement sur son cœur prêt à éclater, et les laissa lentement redescendre devant elle. Cent fois l'idée de cet amour lui était venue, mais si vague, si trouble, qu'elle ne s'en était même pas souvenue ; et voilà que la vérité terrible surgissait devant elle, et qu'il allait falloir lui livrer bataille !

– Un homme marié ! répéta Claire.

Aucune illusion n'était possible. Camille ne voyait aucun autre homme marié dans une semblable intimité, et, d'ailleurs, l'ancien bruit de Saint-Martin-les-Mines servait de base irréfutable à cette conviction nouvelle.

– Elle ne l'a pas nommé, j'espère, monsieur ? reprit la jeune femme en tournant vers Mirmont son beau visage animé par l'indignation.

– Non, madame, elle ne l'a pas nommé, répondit Mirmont, qui ne mentait pas, car c'est lui qui avait prononcé le nom de Paul.

Claire éprouva un grand soulagement ; c'était quelque chose que de sentir son nom sauf de cette triste aventure. Que la honte en retombât sur Camille seule, qui n'avait pas su trouver d'autre moyen de se défendre que de se déconsidérer !

– Ai-je eu tort, madame, reprit humblement Mirmont, de penser que vous voudriez bien m'aider de vos conseils et ramener mademoiselle Frogé à des sentiments plus rationnels, plus conformes aux principes qui l'ont dirigée jusqu'ici ?

– Soyez assuré, monsieur, répondit Claire en levant sur son interlocuteur le regard honnête de ses beaux yeux, soyez absolument certain qu'en ce qui dépendra de moi, le possible sera fait pour faire comprendre à mademoiselle Frogé son véritable devoir.

L'indignation qui, l'instant d'avant, enflammait son visage avait fait place à une pâleur subite. L'abîme qu'elle venait de sonder lui avait donné le vertige. Se pouvait-il que Camille, avec ses beaux sentiments d'honneur, de devoir, de rigorisme étroit et fanatique, eût osé entrer dans sa maison avec un cœur adultère ?

La pensée de cette trahison lui faisait horreur, au point de lui inspirer plus de dégoût que de colère. Elle s'assit avec un geste découragé, si découragé que Mirmont se sentit ému de pitié pour elle et regretta presque de l'avoir avertie.

– Bah ! pensa-t-il pour se consoler, c'est un service que je lui ai rendu ! Je me permettrai de vous faire observer, chère madame, dit-il tout haut, que si mademoiselle Frogé apprend que j'ai eu l'honneur de converser avec vous, le fruit de vos excellents conseils sera perdu pour moi... Dans sa colère, elle me repoussera plus que jamais.

– Vous avez raison, monsieur, répondit Claire ; elle ne saura pas que je vous ai vu. D'ailleurs, ajouta-t-elle avec amertume, elle ne s'étonnera pas que je sois prévenue.

Sans relever cet aveu involontaire, Mirmont se hâta de se retirer ; il avait le cœur sensible et n'aimait pas la vue des maux qu'il avait causés ; à quoi désormais sa présence eût-elle pu servir ? Sa seule crainte était de rencontrer Camille dans l'escalier ou dans les alentours ; mais la divinité spéciale qui le protégeait lui évita ce désagrément.

Claire reprit sa tapisserie, et, machinalement, essaya de suivre le dessin... Après avoir piqué son aiguille deux ou trois fois au hasard, elle jeta son ouvrage dans la corbeille, et resta immobile, les mains ouvertes, les yeux fixes. Le mystère était éclairci désormais ! Voilà le secret des reproches de Camille, de ses railleries, de ses dédains, de toutes ces choses étranges qui depuis six mois empoisonnaient lentement sa vie ! Si Camille aimait Paul, il était tout simple qu'elle blâmât les moindres actions de Claire, qu'elle s'efforçât par toutes ses paroles de rejeter dans l'ombre et dans le néant la rivale dont la présence lui était au moins importune, sinon odieuse. C'était tout naturel, en effet, et Claire sentit que rien n'était plus évident.

Mais pourquoi cette rivalité ? Comment Camille, si fière, si hautaine, si susceptible, avait-elle osé hasarder sa blancheur d'hermine dans le bourbier d'un pareil amour ?

En pensant aux beaux principes de son amie, madame Brécart se sentit prise de pitié ; à quoi bon ces pensées élevées, ces paroles austères ? Tout cela pour en arriver à convoiter le mari d'un autre ? Le mépris le plus écrasant se dressa dans l'âme innocente de la jeune femme et l'emporta soudain à plus de cent coudées au-dessus de sa rivale malheureuse.

Et Paul ? À la pensée que c'était à son mari, à cet être noble et droit entre tous que Camille avait osé s'attaquer, la colère de Claire se leva furieuse ; elle eût peut-être pardonné à la jeune fille de lui avoir fait du mal ; mais d'avoir exposé Paul à succomber, à trahir la foi du mariage, voilà ce qu'elle ne pardonnerait jamais !

– Jamais ! répéta-t-elle deux fois en se levant et en marchant lentement à travers le salon, jamais ! Si Paul avait failli un jour ; s'il avait regardé cette fille comme il me regarde ; s'il lui avait pressé la main comme il me la presse... Qu'aurait-elle fait, cette femme affolée ? Elle regarda autour d'elle, et soudain elle courut à la pièce où jouait son fils.

Il s'était endormi au bord de la table ; la tiédeur du poêle et la monotonie du même jeu l'avaient peu à peu plongé dans un doux sommeil. La face couchée sur ses deux petits bras, ses boucles brunes inondant la table autour de lui, il dormait paisiblement, et ses longs cils noirs faisaient une ombre prolongée sur ses joues roses. Au moment où Claire ouvrit la porte avec vivacité, la vieille bonne leva en l'air une de ses aiguilles à tricoter, qu'elle allait passer dans ses cheveux gris. Ce geste d'avertissement, que Claire avait respecté tout enfant, l'arrêta sur le seuil, et elle s'approcha à pas lents.

Si Paul l'avait trahie, elle aurait emporté son fils avec elle, et jamais il n'aurait pu retrouver leur trace ; mais Paul était son époux ; qui aurait osé accuser celui qu'elle aimait ? Claire sentit avec orgueil dans son âme d'épouse qu'elle n'avait pas douté de son mari. Rassérénée, triomphante, elle se pencha sur l'enfant de leur amour, et l'embrassa doucement sur la frange de ses cils, puis elle appuya affectueusement sa main sur l'épaule de la vieille servante, qui suivait avec inquiétude les changements de son visage mobile et facile à scruter ; une sorte de sourire effleura ses lèvres, et elle rentra dans le salon.

La colère était passée, la colère qui aveugle et fait commettre des erreurs ; restait la justice, et la justice voulait que Camille fut punie.

Rien n'était plus facile, car avec cette orgueilleuse, le plus sûr châtiment, le plus rude, était de blesser son orgueil. Claire regarda la pendule ; Camille rentrait de bonne heure ce jour-là ; elle était sûre de la trouver chez sa tante. Elle s'arrêta au moment de prendre son chapeau. Ce n'était pas chez les époux Frogé que madame Brécart aurait le droit de parler à cœur ouvert ; il fallait que ce fut chez elle, dans cette maison dont Camille avait violé le sanctuaire. Elle écrivit sur une carte : – J'ai besoin de te parler tout de suite, – et fit porter son message par un commissionnaire.

Moins d'une heure après, Camille entra. Son ancienne assurance était diminuée depuis la veille, et elle ne se présentait dans cette maison qu'avec une sorte de crainte ; le billet de madame Brécart était trop laconique pour qu'elle pût y chercher quelque indice de ce qu'on lui voulait, et cependant elle n'augurait rien de bon. Il fallait pourtant se rendre à l'invitation de son amie, car quel prétexte donner à un refus ? Elle entra donc inquiète, presque effrayée, mais cachant ses craintes sous le masque conventionnel de son affabilité souriante et froide.

– Tu m'as fait demander, ma chère, dit-elle, que me veux-tu ?

Elle approchait son visage de celui de Claire, mais celle-ci se recula un peu, et n'avança pas la main en réponse à celle que Camille lui tendait. Mademoiselle Frogé devint très pâle, et une secousse nerveuse la remua de la tête aux pieds ; les deux femmes se regardèrent une seconde en silence, et Camille comprit que Claire savait tout. Son orgueil indomptable cependant lui inspira le courage de tenir bon, et elle ne baissa pas les yeux. On l'eût tuée sans lui faire demander pardon.

D'ailleurs, un mépris souverain pour Paul Brécart venait de naître en elle, à la pensée que lui seul avait pu livrer son secret à Claire. Quel homme faible et sot qui n'avait pas su défendre la dignité et l'honneur d'une femme contre les épanchements de l'intimité ! Il s'était joué d'elle sans doute, et tous les deux, elle et lui, ils avaient tourné en ridicule cette pauvre Camille, victime d'un amour sans espoir ! Elle eut honte de l'avoir aimé.

– Que me veux-tu ? répéta-t-elle, cette fois, d'un ton bref et impérieux.

Claire ne se laissa point émouvoir ; pendant l'heure précédente, elle avait eu le temps de mettre de l'ordre dans ses idées.

– Je voulais te dire, répondit-elle d'une voix claire et vibrante, que tu aimes mon mari.

Camille ne put réprimer un mouvement de colère ; madame Brécart était en possession de tout son sang-froid, et l'outrage n'en était que plus sanglant. L'orgueil de la jeune fille lui inspira un parti désespéré.

– Je l'aimais, dit-elle avec hauteur ; mais depuis qu'il a été assez vil pour livrer mon secret à sa femme, je ne l'aime plus, je le méprise.

Claire faillit lever la main pour frapper la bouche qui venait d'insulter son mari, mais elle sut se contenir et fit un pas en arrière.

– Tu aimais mon mari, et tu l'as cru capable d'une lâcheté ; moi aussi je l'aime, et je ne l'ai pas soupçonné un seul instant ! Voilà la différence entre ton amour et le mien. Après un court silence, elle ajouta : – Paul ne m'a jamais parlé de toi. Tu lui avais donc dit que tu l'aimais ?

Camille, blanche de colère et de honte, continua à regarder Claire avec ses grands yeux pleins de haine et de défi. Elle s'en voulait mortellement de s'être trahie alors qu'elle eût pu lutter, et peut-être plus encore d'avoir renié son amour au moment où Paul s'en montrait plus digne que jamais.

– J'ignore, dit-elle enfin, le nom de l'infâme qui m'a trahie ; tu me dis que ce n'est pas lui, je te crois ; alors, il est le même qu'avant, il n'a rien perdu de mon estime ni de... elle hésite... de mon amour, conclut-elle audacieusement.

– Te trahir ? s'écria Claire. Mais est-il besoin qu'on te trahisse ? Ne t'es-tu pas démasquée toi-même mille fois ? N'a-t-il pas fallu toute mon indulgence, toute la sotte pitié que m'inspiraient tes malheurs, pour m'aveugler aussi longtemps sur ta conduite ? À cent reprises diverses, j'ai cru m'apercevoir que tu n'étais pas mon amie, que tu ne cherchais qu'à me nuire, à détacher de moi mon mari. Si j'ai repoussé cette idée, c'est parce que je ne voulais pas croire au mal, parce que de tels soupçons me semblaient indignes de nous... mais aujourd'hui que j'ai ouvert les yeux... je t'ai fait venir pour t'annoncer que tout est fini entre nous, que j'oublierai ton nom et ton existence, et que...

– Et que... ? répéta Camille avec hauteur.

– Que tu dois faire de même. Tu n'aurais pas dû me forcer à te le dire.

– Je croyais, reprit méchamment Camille, que la femme n'avait d'autorité dans le ménage que ce que lui en laissait son mari ; as-tu pris l'avis du tien avant de me donner mon congé ?

Claire regarda son ancienne amie bien en face, et celle-ci n'osa soutenir ce regard honnête, plein d'une indignation que les paroles ne pouvaient plus rendre ; elle détourna les yeux et fit un mouvement vers la porte.

– Écoute, lui dit madame Brécart, il faut que tu m'entendes. Je te comprends mieux que tu ne crois, je te dirai même que je te plains. Oh ! tu as beau me regarder avec dédain, de nous deux, ce n'est pas moi qui suis à plaindre ; et cela n'est pas une question de position ou de fortune, c'est une question de caractère. Tu as voulu être parfaite ; tu t'es soustraite aux erreurs, aux défaillances de la vie ordinaire ; tu as cherché ailleurs que dans l'existence réelle la satisfaction de tes désirs et l'accomplissement de tes rêves. Tu rougissais à la pensée de la maternité, tu me trouvais inconvenante quand j'embrassais mon mari... et voilà que la vie s'est vengée sur toi : tu aimes le mari d'une autre ! Tu connais les paroles de l'Évangile : Celui qui a commis l'adultère dans son cœur est adultère. Eh bien, voilà ton châtiment ! Si tu avais été la femme d'un autre, tu n'aurais pas convoité mon mari...

– Je n'ai pas convoité ton mari, interrompit Camille ; l'amour que je lui porte n'a rien de commun avec ce que, toi, tu appelles de ce nom !...

– Je te demande bien pardon, Camille, c'est ce que tu éprouves pour lui qui n'est pas de l'amour, qui n'est qu'une perversion de tout sentiment honnête. Ce n'est pas de l'amitié, car mon existence te gêne, et tu me hais ! Ce n'est pas de l'amour, puisque tu ne voudrais à aucun prix, dis-tu, déchoir de ta pureté et donner des enfants à l'homme que tu aimes ? Qu'est-ce alors, sinon un produit de ton esprit malade ? Je te plains, Camille, oui, je te plains ! Mais les malfaiteurs, qu'on peut plaindre quand le bras de la justice s'appesantit rudement sur eux, sont nuisibles, et on les sépare de la société. C'est ainsi que je te bannis de ma maison, non parce que je te hais... je ne te hais pas, mais parce que, dans la route que tu as choisie, tu ne peux faire que du mal à toi-même et aux autres !

– Il était inutile d'en dire si long, répondit Camille en ouvrant la porte ; tu n'avais qu'à me prier par écrit de ne pas revenir, tu nous aurais évité une scène ridicule.

– Je ne la trouve pas ridicule, moi, répliqua Claire. Et vois encore la différence entre nous : tu t'en vas avec un sarcasme, et moi, en songeant à notre amitié, que tu as détruite et souillée, je me sens le cœur plein de regrets !

Camille sortit sans répondre, et Claire entendit la porte se refermer sur son amie. Elle resta immobile un moment, puis, couvrant son visage de ses mains, elle fondit en larmes.

Que de souvenirs d'enfance remontèrent alors du fond de son âme en cette heure douloureuse, depuis la première pitié qui l'avait saisie au cœur pour Camille orpheline, vêtue de noir et les yeux rougis par les larmes ; depuis la première poupée dont elle s'était privée pour cette enfant sans jouets et sans plaisirs, jusqu'à leur rencontre du printemps, où d'un cœur si joyeux elle l'avait engagée à venir voir sa nouvelle demeure ! Tant de petits soins, tant de bonnes paroles, tant d'actions généreuses, – et tout cela pour arriver à ce triste résultat ! Elle se rappela avec un serrement de cœur que c'était elle-même qui, en voyant tousser Camille, la croyant atteinte dans les sources de l'existence, avait engagé son mari à la reconduire le soir !...

– Ah ! Camille, murmura-t-elle, tu as abusé de ma confiance !

Elle pleurait encore, le cœur gros de sanglots comprimés, s'efforçant en vain de sécher ses yeux toujours débordés par de nouvelles larmes, lorsque son mari rentra. La nuit venait ; on n'avait pas apporté de lumière dans le petit salon ; il y pénétra sans savoir qu'elle s'y trouvait. Au bruit de ce pas connu, Claire leva la tête et essaya de recouvrer son apparence ordinaire, mais Paul ne s'y laissa pas tromper.

– Tu pleures ? lui dit-il avec sa tendresse accoutumée ; qu'as-tu ?

Il la prit dans ses bras et appuya sur son épaule la tête fatiguée de sa chère femme.

Elle hésita un instant : que lui dirait-il ? Elle prit bravement son parti.

– Camille t'aimait, lui dit-elle ; je lui ai défendu de revenir.

– Pauvre Claire ! répondit Paul en la serrant plus étroitement contre lui, tu as dû beaucoup souffrir !

– Ah ! comme tu me comprends ! s'écria la jeune femme dans un élan d'amour et de reconnaissance.

– Toi aussi, tu me comprends, répondit Paul gravement : tu n'as pas douté de moi ?

– Si j'avais douté, fit Claire en se redressant, c'est moi qui serais partie !

Félix ouvrit la porte du salon et s'avança à tâtons, se heurtant à tous les meubles.

– Papa est rentré, dit-il, et il n'a pas embrassé Félix ; papa n'est pas sage !

L'enfant avait fini par trouver les genoux de son père dans la demi-obscurité, et, tout en le grondant de sa voix mutine qu'il s'efforçait de grossir, il grimpait le long de ses jambes ; Paul enleva son fils et le mit dans les bras de sa femme ; puis, enlaçant dans la même étreinte ces chers objets de sa tendresse, il dit à Claire :

– Vois-tu, il n'y a rien de vrai et de beau hors de la famille.

XIII

Camille marchait seule le long des quais. En sortant de chez Claire, elle avait tourné la tête du côté de sa maison, mais elle n'avait pas pris le chemin qui l'y conduisait ; à aucun prix elle n'eût voulu raconter à ses vieux parents la scène qui venait de se passer ; il lui fallait du temps pour se remettre, et elle s'en alla droit devant elle.

Un brouillard gris et pénétrant montait de la Seine et revêtait les objets d'une sorte de crêpe noirâtre ; le froid humide se glissait sous les vêtements et faisait frissonner les passants qui pressaient le pas ; mais la marche était difficile sur le pavé gras et glissant ; le jour qui tombait achevait de donner un air de tristesse aux grands arbres du quai. Camille allait lentement vers l'hôtel de la Trémouille, inconsciemment attirée par le désir maladif d'épuiser la coupe de sa douleur et de rappeler l'amertume qu'elle avait éprouvée en ce lieu. Chassée par la femme après l'avoir été par le mari ! quelle ignominie ! et combien la jeune orgueilleuse la trouvait imméritée ! C'était pour s'être maintenue dans une sphère idéale, bien au-dessus de tout ce qui dégrade la nature humaine, qu'elle s'était vu infliger ce double outrage ! Mais alors à quoi bon les hautes aspirations, les sacrifices surhumains ? à quoi bon ces efforts constants vers le détachement des choses mortelles, si la honte et l'insulte devaient être leur seule récompense ?

Une consolation au moins restait à Camille : Paul Brécart avait respecté son secret ; elle ne songea pas à Mirmont ; de semblables combinaisons n'entraient pas dans ses idées ; elle se dit que Claire avait pu être avertie soit par des propos de domestiques, – elle n'avait pas oublié le regard que le concierge lui avait jeté la veille, – soit par son instinct pervers de femme jalouse. Paul restait son idole ; – mais qu'il avait été cruel pour elle ! Et désormais qu'attendre de cet homme poussé au mal par sa femme injuste et irritée ?

Tout était bien fini de ce côté-là, et, chose étrange, Camille éprouva une sorte de soulagement en pensant que Paul Brécart ne serait plus rien dans sa vie. Elle s'était acharnée à cet amour ; tout en croyant essayer de s'en défaire, elle l'avait de plus en plus enfoncé dans son imagination, et au moment où elle constatait son impuissance en face de la réalité, elle ressentait une sorte de contentement, celui des lutteurs vaincus qui, la journée finie, sont certains au moins de ne plus recevoir de horions et d'avoir la nuit pour panser leurs blessures. Ce contentement d'espèce très inférieure n'est autre chose que la lâcheté de la nature humaine devant la souffrance, physique ou morale ; mais en ce moment Camille n'était pas en état de faire des distinctions philosophiques.

Paul devait disparaître de sa vie ; elle allait se faire une existence d'où serait bannie l'image de l'homme qui avait méconnu son dévouement et refusé sa pure tendresse ; elle frémit en pensant au vide de son esprit et de son cœur, si elle se soumettait à cette nécessité. À quoi penserait-elle désormais ? Dans quel but dirigerait-elle ses pensées et ses actions ? Le mysticisme qui l'avait toujours guidée eût pu lui offrir un refuge, mais les sentiments religieux de Camille étaient étroits et superficiels, attachés à la lettre et non à l'esprit ; ce n'est pas là qu'elle pouvait trouver des consolations ; elle n'avait jamais – tout au fond de sa conscience – approuvé Jésus d'avoir pardonné à la femme coupable ; c'était une faiblesse de la part du Maître, excusable seulement à cause de sa grande bonté et de son essence divine. Combien pensent ainsi parmi ceux qui professent les maximes les plus édifiantes ! C'est pour ceux-là qu'a été condamnée la foi sans les œuvres.

Où Camille trouverait-elle la paix et le repos ? Elle allait toujours le long du quai, morne dans la nuit opaque, éclairée par les becs de gaz de lueurs rougeâtres et diffuses : elle errait d'un pas tardif et distrait, engourdie par le froid humide. Tout à coup elle s'arrêta : ses pensées l'avaient conduite à l'endroit même où, deux jours avant, elle avait évoqué de si tristes images.

– C'est là qu'un désespéré viendrait finir ses angoisses, avait-elle dit. Était-elle cette âme en peine que la mort seule pourrait calmer ? Elle resta immobile un moment, puis reprit sa marche d'un pas plus rapide et descendit jusqu'au bord de l'eau sombre et frissonnante.

Le lieu était plus lugubre que jamais ; de grands madriers noirs s'avançaient jusqu'à tremper dans le courant ; quelques pierres blanchâtres formaient des taches dans l'ombre grise, et au-dessus, devant elle, derrière, le ciel bas reflétait la lueur sinistre de Paris éclairé au gaz, lueur qui semble celle d'un incendie et qui surprend parfois les yeux même les plus expérimentés.

Qu'était-elle venue faire en cet endroit ? La jeune fille recula de deux pas et s'assit sur une pierre, pour se poser cette question. Le besoin de creuser sa souffrance jusqu'au fond, de goûter à l'amère volupté de la mort prochaine, immédiate, l'avait conduite là ; aucune pensée de suicide ne s'y était réellement mêlée. Mais Camille, dans son imagination malsaine et dévoyée, ne redoutait pas d'aborder tous les crimes, afin d'en connaître la saveur. Il y avait pour elle une satisfaction intime à se sentir plus forte que ceux qui se suicident, à tremper ses pieds dans l'onde qui en emporte tant d'autres, et à se dire : Je n'irai pas plus loin ! Était-ce force ou faiblesse ? amour du devoir ou amour de la vie ? Personne ne saurait la juger sur ce point, mais l'orgueilleuse fille prononça dans sa conscience que c'était l'amour du devoir qui la retenait sur la rive, et son orgueil consolé lui dressa un nouveau piédestal.

Que lui importaient au fond ces gens méprisables ! ce Paul, qui préférait à tout les délices matérielles du mariage ; cette Claire, qui avait méconnu son affection et qui l'accusait de vouloir lui enlever son mari... son mari ! Est-ce que Camille pouvait aimer le *mari* ! C'était Paul qu'elle avait aimé, non le mari de Claire ! Elle s'arrêta à la pensée qu'elle l'avait aimé, en effet : – c'était un passé bien passé, bien mort ! Elle n'aimait plus Paul, – ni personne.

Eh bien quoi ? tant mieux ! Délivrée des soins qui l'avaient agitée pour les autres, elle allait, enfin, vivre pour elle ! Cette idée lui fit passer une sorte de frisson de joie entre les épaules ; elle avait un peu froid, et elle se leva. Ses pas la portèrent machinalement vers le quai, et elle reprit sans plus d'hésitation le chemin de son logis.

Ce n'était pas seulement la soupe qu'avaient mangée monsieur et madame Frogé, mais bien le poisson, – la sole au gratin, chère à Sébastien, – et le rôti, un poulet superbe ; les reliefs de la salade émaillaient le fond du saladier, et quoiqu'ils n'eussent faim ni l'un ni l'autre, les bons vieux avaient mangé, par colère, à s'en donner une indigestion.

– Il ne faut pas qu'elle croie nous faire de la peine, avait dit la tante Belle ; je suis vraiment certaine que cette idée la réjouirait ! Mangeons tout, mon bon Sébastien, et nous verrons ensuite ce qu'elle dira !

Camille entra le front haut ; elle avait trouvé un nouvel équilibre, et se sentait plus forte que jamais ; ses yeux avaient un éclat dur, sa lèvre dédaigneuse était plus arquée, et elle se présenta comme si elle eût relevé un défi. La vie, en effet, devenait pour elle un défi perpétuel à la raison et à la bonté.

– Nous avons fini, Camille, lui dit madame Frogé d'un ton calme qui n'excluait pas le reproche.

– Vous avez bien fait, ma tante, répondit la jeune fille.

Abasourdie, la tante Belle regarda Sébastien, qui n'était pas moins stupéfait.

– Quand tu dîneras en ville, dit celui-ci, essayant de rattraper une contenance, tu auras soin de nous prévenir d'avance ; ce n'est pas amusant d'attendre quelqu'un qui ne vient pas.

– Je n'ai pas dîné en ville, mon oncle, répondit Camille en se coupant un morceau de pain.

Elle n'avait pas faim, mais elle ne voulait pas céder.

– D'où viens-tu alors ? demanda la tante Belle, d'une voix un peu plus élevée que de coutume.

– Je me suis promenée, ma tante, répondit mademoiselle Frogé, en se versant un verre d'eau limpide. Remportez tout cela, dit-elle à la servante qui apportait la carcasse du poulet ; je n'aime pas le rôti.

La vieille cuisinière sourde n'avait pas entendu les paroles, mais elle avait compris le geste, et bien mieux encore certain froncement de sourcils de madame Frogé, qu'elle n'avait peut-être pas vu plus de trois ou quatre fois dans sa vie, mais qui avait toujours présagé un orage violent.

Elle se retira donc et ferma la porte avec précaution, sans faire de bruit.

– Camille, fit madame Frogé, me diras-tu ce que cela signifie ?

– Eh ! mon Dieu, ma tante, cela ne signifie rien du tout ! Je n'avais pas faim, je me suis promenée au lieu de rentrer pour m'asseoir devant un dîner que je ne mangerais pas ; je ne vois pas qu'il y ait là de quoi me chercher noise !

– Camille ! tonna Sébastien en frappant sur la table du plat de sa main potelée, tu viens de manquer de respect à ta tante ! Fais-lui immédiatement tes excuses.

Au mot d'excuses, la jeune fille bondit comme si elle avait reçu un coup de fouet. Après ce qu'elle avait enduré depuis l'avant-veille, cette vulgaire scène de famille lui semblait le coup de pied de l'âne.

– Mon oncle ! s'écria-t-elle, c'est une véritable persécution, et je ne sais où vous prenez mes torts ; si c'est une idée fixe chez vous de me trouver en faute à tout propos, je vous déclare que je ne m'y soumettrai pas !

– Te trouver en faute ! gémit la tante Belle, pendant que Sébastien suffoqué devenait cramoisi ; mais, malheureuse enfant, nous ne faisons pas autre chose que de supporter tes caprices ! Comment ne vois-tu pas que nous sommes à bout de patience ?

– Moi aussi, déclara Camille en se croisant les bras.

Le verre d'eau qu'elle avait bu avait calmé son premier feu, mais sans rien lui ôter de sa colère, ce qui lui donnait un avantage marqué sur les deux vieux, positivement hors d'eux-mêmes par la nouveauté de cette étrange situation.

– Moi aussi, je suis à bout de patience ! Ce n'est pas assez de supporter vos petites manies, vos répétitions perpétuelles, de vivre ici entre vos chardonnerets et votre vieille cuisinière sourde, d'entendre discourir à perte de vue sur la cuisine, moi qui déteste la gourmandise ! Il faut encore que je sois assujettie à rentrer à une heure fixe, comme si j'avais un licol au cou, sous peine de me voir faire les scènes les plus absurdes ! Eh bien, non, ma tante ! non, mon oncle ! Je veux être maîtresse de mes actions ; j'ai vingt-cinq ans révolus, je suis archi majeure, je réponds de moi-même et ne veux dépendre que de moi !

– C'est bien, Camille, fit Sébastien, de cramoisi devenu blême ; dès demain vous quitterez notre toit, dont vous dédaignez la protection modeste, mais assurée...

– Y penses-tu, Sébastien ? s'écria Isabelle, qui serra son mari dans ses bras pour mieux lui faire entendre raison ; y penses-tu ? une orpheline !

– Dieu savait bien ce qu'il faisait quand il l'a rendue orpheline, répliqua le vieux professeur en étouffant un sanglot ; elle n'était pas digne de conserver son père et sa mère. Les miens à moi sont morts à quatre-vingts ans passés !

Camille, fort ennuyée de la tournure que prenait l'entretien, se dit qu'il fallait faire des concessions pour avoir la paix.

– Voyons, mon oncle, lui dit-elle, vous avez toujours prétendu que j'étais une originale ; mettez mes promenades sur le compte de mon originalité, et promettez-moi que vous ne m'attendrez plus !

Sébastien avait recouvré sa fermeté ; au grand étonnement d'Isabelle, qui lui faisait des signes pour qu'il acceptât ces paroles comme une excuse, il dit à Camille : – Tu as perdu la tête, ma nièce, et nous te traiterons comme une enfant malade ; c'est en considération de ton état maladif que nous serons indulgents cette fois encore ; mais s'il t'arrive désormais de manquer aux égards que tu nous dois, nous cesserons de te traiter comme notre enfant, et tu ne seras plus sous notre toit qu'une étrangère à laquelle son isolement nous ordonne de témoigner de la compassion.

De tous les mots de la langue française, celui-là était le plus blessant pour Camille ; depuis deux jours, on eût dit que le monde entier s'entendait pour le lui jeter à la face.

– Je n'ai pas besoin de compassion, mon oncle, fit-elle avec hauteur ; si vous êtes las de me témoigner de la tendresse, dites-le ; cela vaudra mieux que de me persécuter comme vous le faites.

– Elle est folle, Sébastien, elle est folle ! s'écria la tante Belle, lisant sur le visage de son mari les indices d'une terrible colère. Laisse-lui le temps de se calmer ; elle ne sait plus ce qu'elle dit.

Moitié douceur, moitié violence, elle entraîna Sébastien dans sa chambre à coucher, où il fut pris d'un violent accès de chagrin ; pendant plus d'une heure, à grand renfort d'eau de mélisse et de fleur d'oranger, elle s'efforça de le calmer, et n'obtint ce résultat qu'avec de bonnes paroles puisées au plus profond de son excellent cœur.

Restée maîtresse de la place, Camille promena un regard satisfait autour d'elle, sur les chaises de crin noir, sur la cage à chardonnerets, sur le service Louis-Philippe étalé sur le dressoir, sur tous ces témoins de son triomphe, et elle s'avoua que jamais tous ces vilains objets ne lui avaient paru plus laids et plus déplaisants. Oui, cette maison lui était odieuse ! elle eût voulu pouvoir l'anéantir. Faudrait-il y vivre toujours ? Elle savait malgré tout le bien qu'elle pensait d'elle-même, que la protection morale que lui accordaient ses vieux parents en la gardant chez eux était le garant de sa position sociale ; si elle quittait cette maison, elle perdrait du jour au lendemain les trois quarts de ses leçons et peut-être bien le dernier quart comme le reste.

La vie était donc une impasse, de laquelle elle ne devait jamais sortir ?

Pleine de colère contre le monde entier, ce monde mal fait, biscornu, idiot, qui ne veut accepter de chemins que les ornières, et qui ne salue que ceux qui font « comme tout le monde », Camille se retira dans sa chambre.

Ouvrant le tiroir où elle mettait ses papiers importants, elle en tira la fameuse lettre de faire part, cause de tant de maux, et la regarda un instant avec un sourire de mépris.

C'était pour ces gens-là qu'elle s'était fait tant de chagrins ! Parce qu'un ingénieur parisien, tombé dans sa petite ville, avait jeté les yeux sur la dot d'une Claire Laugé, jolie fille insignifiante, elle, Camille, pleine d'intelligence et de vertus, rayonnante de beauté, elle avait perdu six années de sa vie ? Elle eut pitié d'elle-même, cette fois, et froissant le vieux papier jauni, elle l'alluma à la bougie, le jeta dans la cheminée et le regarda se consumer.

– C'est fini, se dit-elle, quand il n'en resta plus qu'un peu de cendre noire, c'est fini pour toujours.

Elle resta longtemps assise devant ce petit monceau de cendres, que le vent s'engouffrant dans la cheminée faisait frissonner de temps en temps. Elle les regardait sans les voir, pensant à tant de choses anciennes que le présent était oublié. Son enfance, seule d'abord avec ses parents dans un intérieur triste, puis la mort de sa mère, sa triste vie d'adolescente auprès d'un père morose, la perte de celui-ci, qui la laissait isolée et sans secours, tous ces souvenirs lui revenaient avec la douleur engourdie des anciennes peines, cette espèce de chagrin qui s'appesantit si lourdement sur les épaules qu'on ne cherche pas à résister, et qu'on se laisse submerger par cette marée montante d'angoisses.

La cause de tant de souffrances ? Elle n'était pas difficile à trouver : c'était la pauvreté ! Non pas la pauvreté franchement avouée, qui promène indifféremment dans les rues ses vêtements rapiécés, déteints par la pluie, par le soleil et par de fréquents blanchissages, mais la pauvreté inavouée, qui porte des vêtements convenables obtenus à grand renfort de privations au logis. Chaque robe neuve de Camille lui avait coûté de longs mois sans feu en hiver, des soupers de pain sec arrosé d'eau claire en été ; elle était jeune alors, et stoïque au fond de sa nature, elle s'inquiétait peu de ces misères, mais le souvenir de ce temps-là était probablement plus dur que ne l'avait été le temps lui-même.

La pauvreté était la grande ennemie de Camille, elle s'en apercevait à présent. Comment se faisait-il que cette pauvreté, toujours traitée par elle en amie, dont elle était fière, qu'elle avait maintes fois arborée comme un palladium destiné à la défendre contre les faiblesses de la vie, que cette pauvreté dont elle avait fait son honneur, lui déclarât soudain la guerre ? Elle se garda bien de penser que son immense orgueil, chassé des régions idéales où il s'était maintenu jusque-là, lui inspirait un besoin irrésistible de dominer son prochain, à défaut d'elle-même.

La vie chez ses parents lui devenait intolérable. Si elle ne pouvait plus rêver à sa guise, agir selon sa fantaisie, qu'était cette demeure hospitalière, sinon une prison ? Elle songea à se soustraire à cette tyrannie, en louant quelque part une petite chambre où elle aurait au moins ses coudées franches ; mais il lui fallut renoncer aussitôt à ce germe de projet, car elle comprit que pour le mettre à exécution il faudrait se brouiller inévitablement avec son oncle et sa tante, et les conséquences naturelles de cette rupture seraient pour elle la perte de ses leçons dans un temps prochain.

Que faire ? de quel côté se retourner ? Le couvent ? Camille sentit que jamais elle ne pourrait se plier à la règle étroite du couvent. Si c'eût été au temps des saints, elle eût marché avec joie dans l'ombre du manteau d'une sainte, reconnue comme telle et béatifiée de son vivant ; mais que lui importaient la vie exemplaire et les vertus d'une humble supérieure dont personne durant sa vie ne savait le nom, et que personne ne glorifierait après sa mort ? Ce qu'il fallait à Camille, c'était la satisfaction ambitieuse d'être sinon la première, au moins parmi les premiers, aimée et estimée de ceux-là, quels qu'ils fussent, dans le milieu où son destin la ferait vivre.

Le monde avait été ingrat pour elle ! Elle avait toujours fait de son mieux, prodiguant le meilleur de sa vie à des gens qui n'en avaient pas voulu ; son oncle et sa tante étaient incapables de la comprendre ; ces êtres matériels, enfoncés dans la prose de la vie, ne pouvaient apprécier que les délices d'un bon dîner, et tout au plus le mérite de la soumission aux usages de leur monde bourgeois et mesquin. Claire était une femme sotte et orgueilleuse, entichée de sa dignité de femme mariée, et, comme les époux Frogé, incapable de s'élever au-dessus des étroitesses du préjugé. Paul... ah ! celui-là l'avait bien trompée ! Se fiant à son extérieur poétique, aux paroles qui jadis sortaient de ses lèvres, à cette glorification constante de l'idéal qui était autrefois sa préoccupation, elle avait continué à l'aimer, pendant que lui, s'enfonçant dans les vulgarités du mariage, il était devenu un homme comme les autres ; et maintenant, il tombait autant au-dessous des autres que jadis elle l'avait élevé au-dessus.

Un seul s'était montré plus digne que les autres ; un seul avait témoigné de la grandeur et de la noblesse de caractère ; c'était Mirmont, Mirmont lui proposant d'oublier qu'elle avait aimé Paul si elle consentait à lui donner sa main. Camille se plongea dans une méditation profonde.

S'efforçant de mettre de côté les avantages matériels de cette union, elle se mentit une fois de plus ; elle se fit un héros de Mirmont pour se cacher à elle-même qu'il était riche et qu'il deviendrait quelqu'un. Volontairement, avec la ténacité qui lui était propre, elle rejeta dans l'oubli le désir qu'avaient témoigné les époux Frogé de lui voir épouser le fonctionnaire, et elle en arriva presque à se persuader qu'ils étaient contraires à ce mariage. C'était pour elle le grand point, faire preuve de caractère. Lorsqu'elle se fut persuadée que ses ennemis, – c'étaient ses parents qu'elle désignait ainsi, – seraient mécontents de la voir épouser Mirmont, et qu'ils ne l'avaient engagée à se marier que pour se défaire d'elle, Camille n'éprouva plus aucune hésitation. Mettant sous ses pieds son orgueil féminin, à vrai dire tellement aveuglée par ses sophismes qu'elle ne comprit pas l'humiliation qu'elle s'infligeait, elle se mit à son bureau et écrivit à Mirmont.

« Monsieur,

« Vous m'avez engagée à réfléchir sur votre proposition ; j'ai réfléchi suivant votre conseil, et je suis prête à vous recevoir pour en parler avec vous.

« CAMILLE FROGÉ. »

En signant son nom, la jeune fille hésita un instant ; puis, prenant une autre feuille de papier, elle y traça d'une grande écriture qui ne tremblait pas : Camille Mirmont. Ses yeux s'arrêtèrent avec complaisance sur ce nom nouveau, et un sourire de triomphe fit rayonner tout son visage. Elle avait vaincu, cette fois !

Elle s'endormit presque sur-le-champ avec la satisfaction d'un général qui vient de gagner une bataille, et que le râle des blessés et des mourants ne trouble qu'autant que le veut la pitié naturelle au cœur de l'homme. La guerre n'a-t-elle pas ses nécessités cruelles ? Ainsi des anciens sentiments de Camille.

Le lendemain, vers cinq heures, Mirmont, qui avait reçu la lettre au bureau, se présenta chez madame Frogé. Sébastien faisait sa promenade journalière, et Isabelle, à la cuisine, surveillait sa vieille bonne dans la confection d'un mets délicat destiné à consoler son mari de l'algarade de la veille. Mirmont, introduit au salon, pendant que madame Frogé se lavait les mains eu grande hâte et se demandait ce que cela voulait dire, se trouva en présence de Camille qui l'attendait de pied ferme et le cœur fort serré, mais avec une contenance irréprochable.

Un autre eût triomphé à la vue de sa belle adversaire vaincue et à sa merci. Gustave fut plus habile ; il aurait le temps de triompher, puisque le mariage est indissoluble ! Il s'avança vers Camille de l'air humble d'un soupirant à peine toléré, et lui baisant respectueusement la main, il la fit asseoir sur un fauteuil, après quoi il prit une chaise à une distance convenable.

Rassurée par cet abord plein de déférence, Camille retrouva tout son calme.

– Vous avez reçu ma lettre ? dit-elle d'une voix ferme.

– C'est ce qui m'a permis de me présenter devant vos yeux, répondit Mirmont avec un demi-sourire, destiné à rompre la glace ; sans votre assentiment, je ne me serais pas risqué à vous déplaire.

Camille ne put s'empêcher de penser que Gustave Mirmont était parfaitement bien élevé, et les avantages moraux que l'on peut trouver dans l'observation des convenances ne lui parurent plus tout à fait aussi puérils ; mais comment dire à un monsieur refusé deux ou trois jours auparavant qu'on a changé d'idée, et que sa demande est agréée ?

Mirmont lui épargna encore cette peine, non sans le sentiment fort doux qu'il prenait de cette façon un avantage très marqué, avantage qu'il conserverait par la suite des temps.

– Vous m'autorisez donc, dit-il avec une douceur exquise, à demander votre main à M. Frogé ?

Camille hésita une seconde ; le mot qu'elle allait prononcer serait irréparable. Un vague remords lui causa une inquiétude soudaine : serait-elle une bonne femme pour l'homme qu'elle avait en face d'elle ? Pouvait-elle lui jurer, sans sacrilège, amour et fidélité ? Ne s'engageait-elle pas dans cette redoutable aventure avec des sentiments mauvais qu'elle eût dû repousser au lieu d'y apporter le calme et la paix du cœur qui doivent présider à tout mariage vraiment respectable ? Elle sentit que son cœur n'était pas calme et que sa conscience n'était pas pure.

– Ce n'est pas ma faute, se dit-elle avec une sorte de colère ; ce sont eux qui m'ont troublée, et non moi qui suis coupable ! Aussitôt, d'une voix claire, elle répondit à Mirmont :

– Je vous y autorise, monsieur, sous une seule réserve : jamais vous n'exigerez que je revoie M. et madame Brécart.

– Cette requête est trop conforme au vœu de mon propre cœur, pour que je ne sois pas heureux d'y souscrire, répondit Mirmont dans le style le plus élégant et avec le geste le mieux approprié.

En ce moment, madame Frogé, qui avait fini de s'essuyer les mains, apparut sur la porte, bien inquiète des sottises que sa nièce avait pu dire ou faire à M. Gustave Mirmont ; grande fut sa surprise en les trouvant si bien d'accord.

Comme son prétendu ouvrait la bouche pour faire à la bonne dame sa demande officielle avec un choix d'expressions dûment approprié, Camille lui coupa la parole ; elle n'avait pas l'intention de demander le consentement de ses parents ; cette démarche, que la politesse motivait de la part de Mirmont, était pour elle une chose humiliante, surtout après la scène de la veille.

– Ma tante, dit-elle, j'épouse M. Mirmont.

– Si vous voulez bien m'accorder votre consentement, ajouta le fonctionnaire, décidé dès le principe à ne pas laisser péricliter son autorité conjugale.

– Ah ! monsieur, que je suis heureuse !... Je crois bien, que je vous l'accorde ! s'écria la bonne âme. Méchante enfant, tu as donc réfléchi ? Tu as bien fait, et tu seras heureuse ; monsieur Mirmont, il faut que je vous embrasse.

Pendant que Camille souriait dédaigneusement, madame Frogé reçut l'accolade de son futur neveu, et ensuite elle-même dut incliner son front hautain sous le baiser maternel de sa tante.

Sur ces entrefaites, Sébastien entra, rose et guilleret ; sa promenade lui avait donné un appétit superbe, et il n'avait conservé de la scène de la veille qu'un souvenir désagréable, mais indistinct, qu'il s'efforçait de bannir.

– Figure-toi, mon ami, s'écria Isabelle en l'apercevant, Camille épouse M. Mirmont.

Dans son saisissement, Sébastien laissa tomber sa canne, que Mirmont ramassa avec l'empressement d'un neveu bien appris. Il le remercia machinalement, puis regardant sa nièce avec attention, il lut sans doute sur son visage bien des choses qu'il n'avait pas trouvées dans Buffon ; mais on a beau avoir été professeur de belles-lettres, on n'en est pas moins homme, et si naïf que l'étude des maîtres vous ait fait rester, on connaît la vie quand on a bientôt soixante-dix ans.

– Tu épouses M. Mirmont ? dit-il à sa nièce d'un ton affectueux, où perçait cependant un secret reproche ; j'espère que ce n'est pas pour nous faire plaisir ?

Camille sentit tout ce que contenait cette simple question, et son orgueil se révolta.

– Non, mon oncle, répondit-elle vivement, c'est pour moi-même.

– Voilà une bonne parole ! s'écria Mirmont en se penchant galamment sur la main de sa fiancée.

Sébastien regarda Camille pendant un quart de seconde, et secoua imperceptiblement la tête.

– C'est une bonne parole, répliqua-t-il lentement ; oui, c'est une bonne parole, vous pouvez être content. Eh bien ! Camille, je te fais mon compliment !

– Et à moi, monsieur Frogé, répartit gaiement Mirmont, est-ce que vous ne me faites pas aussi compliment ?

– À vous aussi, monsieur Mirmont, oui, répondit le vieillard comme à regret ; j'espère que Camille sera une bonne femme, et que vous serez heureux tous deux.

La joie de la tante Belle était plus bruyante, et son animation déroba aux yeux de Mirmont ce que la réserve de son mari aurait pu avoir d'inquiétant. L'heureux fiancé vit fort bien, cependant, qu'il avait dû se passer quelque chose d'extraordinaire ; mais il s'abstint de questionner. Après tout, quand Camille aurait été de mauvaise humeur avec son oncle et sa tante, il n'y avait là rien qui pût l'étonner. Gustave avait mis de sa main le feu aux poudres ; ce n'est pas un peu de dégât qui devait le surprendre.

Comme il était naturellement curieux, il eût beaucoup donné pour savoir ce qui s'était passé entre sa visite à madame Brécart et la lettre que Camille lui avait écrite ; mais chacun de nous emporte dans la tombe un désir qui n'a pas été satisfait, une aspiration qui n'a point trouvé son objectif ; c'est ce que cette journée bien remplie devait être pour Gustave Mirmont, qui n'en connut jamais l'emploi.

On dîna gaiement tous ensemble dans la petite salle à manger, meublée d'acajou et de crin noir, si gaiement que les chardonnerets, réveillés par le bruit, se mirent à gazouiller tous ensemble, et qu'il fallut couvrir leur cage avec un tapis de table pour parvenir à s'entendre. Le dîner était excellent, sans cela, jamais la tante Belle ne se fut permis d'inviter au pied levé un homme aussi considérable que son futur neveu, – et Mirmont y fit grand honneur.

– Quand vous serez ma femme, dit-il à Camille, qui, suivant son habitude, ne mangeait que du pain et ne buvait que de l'eau, il faudra bien apprendre à vivre d'autre chose que d'air pur ; vos invités ne vous le pardonneraient pas !

Camille sourit et accepta une aile de caneton ; l'idée d'avoir des invités à sa table était assez attrayante pour lui faire manger même du rôti, malgré sa répugnance.

Quand Mirmont se fut retiré quelques heures après, Frogé prit sa nièce à part, pendant que sa femme rangeait l'argenterie.

– Camille, lui dit-il avec une gravité dont il n'était pas coutumier, tu as accepté M. Mirmont : je n'ai pas besoin de te dire que nous en sommes très heureux, car ce mariage te donne une position et une fortune inespérées. Mais tu n'y as pas apporté ce qu'on doit apporter dans le mariage, ce qui a fait de ta tante et de moi des gens heureux malgré toutes nos peines, – un amour sincère du bien et un dévouement absolu à son époux.

– Mon oncle... commença Camille impatiente et rétive sous la semonce.

– Écoute-moi, reprit-il avec une autorité qui imposa silence à la jeune révoltée ; je ne te reparlerai jamais de ce que je vais te dire, mais il faut que tu l'aies entendu. Tu n'aimes pas Mirmont, tu l'épouses par ambition, par colère, par dépit peut-être ; le consentement que tu lui as accordé aujourd'hui, après la scène d'hier et ton refus précédent, est la preuve que tu n'es pas guidée uniquement par de bons sentiments. Ceci est ton affaire ; tu la régleras entre ta conscience et toi ; mais rappelle-toi que si, tant que tu n'es pas mariée, cette maison est la tienne, à condition que tu y apporteras la soumission et le respect auxquels ta tante et moi nous avons droit, – cette demeure te sera impitoyablement fermée si tu te trouves malheureuse après ton mariage. Tu as voulu agir seule, tu supporteras toutes les responsabilités.

– Soyez tranquille, mon oncle, fit Camille avec son sourire hautain, je n'y reviendrai pas.

Blessé au cœur, le vieillard quitta le salon ; restée seule, Camille éprouva une sorte de regret ; elle avait été dure avec son oncle ; ne pouvait-elle lui passer un peu de verbiage ? Son âge et son titre d'oncle ne l'autorisaient-ils pas à lui donner ces éternels conseils, qui cette fois ressemblaient fort à des reproches ? Ce bon mouvement fut vite étouffé par l'orgueil.

– Ils cherchaient à se débarrasser de moi, pensa-t-elle, et ils ont peur que je ne revienne... Ils ont grand tort, cela n'est pas à craindre !

La tante Belle rentrait ; elle n'avait pas vu son mari ; dans la joie de son âme maternelle, elle s'approcha de sa nièce et lui mit doucement la main sur l'épaule.

– Eh bien ! Camille, lui dit-elle en la regardant avec des yeux pleins de sollicitude rayonnante, tu vas être riche et honorée ; ton mari est bien aimable et bien bon. Malheureusement tu n'as pas de dot ; mais ce que nous possédons te reviendra après nous. En attendant, il te faut un petit trousseau, et je vais...

– Ma tante, interrompit la jeune fille, ne faites rien pour moi, je ne l'accepterais pas ; M. Mirmont m'épouse telle que je suis ; j'entrerai chez lui avec le peu que je possède, rien de plus.

– Mais, malheureuse enfant, ta toilette de mariée...

– J'ai trois cents francs de côté, je me marierai en cachemire blanc ; n'insistez pas, ma tante, ce serait inutile.

Isabelle resta consternée.

– Tu nous détestes donc bien ? murmura-t-elle pendant que ses yeux s'emplissaient de larmes brûlantes.

– Non, ma chère tante, mais je suis fière et je ne veux rien devoir qu'à moi-même.

Madame Frogé pensa que lorsqu'elle serait mariée, madame Mirmont, n'ayant rien apporté, devrait tout à son mari ; – mais peut-être Camille avait-elle sa manière à elle de régler ces comptes-là, et elle ne dit rien.

Quelques instants après, comme elle allait et venait, rétablissant l'ordre dans le salon, elle dit à sa nièce :

– Pourvu que tu sois heureuse ! C'est difficile de savoir se conduire dans son ménage ! Cela ne s'apprend qu'à la longue : tu devrais demander conseil à madame Brécart ; je n'ai jamais vu de ménage mieux assorti !

Camille s'était retournée ; elle était livide, et ses yeux lançaient des flammes.

– Ma tante, dit-elle, ne me parlez jamais de madame Brécart ; j'ai posé comme condition à mon mari que je ne la reverrais plus.

– Tu t'es querellée avec elle ? demanda la bonne dame, qui ne comprenait guère les brouilles éternelles.

– Ce n'est pas une querelle, ma tante, c'est une rupture absolue. Ne m'en reparlez pas, ou je me brouillerais avec vous.

Isabelle regarda attentivement sa nièce, et un soupçon de la vérité traversa son esprit. Cette humeur indomptable, ces promenades du soir, ces irrégularités d'habitudes, tout cela n'avait-il pas commencé avec l'arrivée des Brécart ? Isabelle hocha sa vieille tête blanche et souhaita le bonsoir à sa nièce, sans objecter rien de plus.

Le mariage eut lieu, le 9 décembre, dans les plus brefs délais. Mirmont n'était pas homme à laisser traîner les choses. Ce fut une cérémonie superbe : les orgues, les cierges, les fleurs, le tapis rouge, les suisses avec leurs hallebardes retentissantes, rien n'y manqua. L'église contenait un millier de personnes, et au milieu de cette assistance, – la fleur du panier de tout un monde spécial, – Mirmont conduisit par la main, avec la modeste assurance qui était son propre, Camille, vêtue de cachemire blanc, et drapée comme une statue antique, – corrigée par la mode actuelle, – dans les plis moelleux de la laine, chère aux épouses romaines.

Il ne déplaisait pas à Gustave Mirmont, décoré de la veille par les circonstances, de montrer à tout Paris qu'il épousait une jeune fille sans fortune ; dans certains cas, cela pose un homme que de faire un mariage d'amour ! Les diamants que Camille portait au cou et aux oreilles n'étaient pas des bijoux de famille ; leurs montures neuves et leur éclat éblouissant indiquaient assez qu'ils sortaient de leur écrin. C'était un présent de l'heureux fiancé.

– Permettez-moi, avait dit Camille, de ne pas les mettre pour la cérémonie ; je voudrais me marier avec les seuls vêtements que me permet ma pauvreté !

– Excusez mon insistance, avait répondu Mirmont ; il vous sied de paraître modestement parée ; à moi, il convient d'affirmer que je vous aime et quelle estime j'ai pour vous en vous offrant le gage visible de ma tendresse.

Camille avait obéi ; d'ailleurs, de beaux diamants ne sont pas, après tout, une chose si désagréable à voir ni à faire voir, et la résignation lui avait peu coûté.

M. et madame Brécart avaient été convoqués à la cérémonie, à l'insu de Camille, qui se fût révoltée si elle en eût eu connaissance ; mais, ainsi que dans sa sagesse Mirmont l'avait supposé, ils se gardèrent bien d'y paraître, et se contentèrent d'envoyer des cartes, que l'époux de Camille confisqua prudemment.

Lorsque, le déjeuner de noces terminé, les nouveaux mariés eurent gagné le chemin de fer pour passer à Nice huit jours de congé, M. et madame Frogé rentrèrent chez eux, et se hâtèrent de déposer leurs beaux atours.

Quand, ce devoir accompli, ils se retrouvèrent dans leur modeste salle à manger, devant un petit potage de convalescents, apprêté par la vieille cuisinière, afin de réparer les dommages possibles, suite d'un trop bon déjeuner, ils se regardèrent avec une sorte de vague inquiétude ; chacun semblait craindre de deviner les sentiments de l'autre.

– Eh bien ? dit enfin la tante Belle, qui en sa qualité de femme était plus courageuse.

L'oncle Sébastien promena ses regards autour de lui, et salua d'un sourire de bonne humeur les objets familiers, les chardonnerets, la grosse lampe, jusqu'aux chaises de crin noir ; – il convient de dire que lui avait un fauteuil en velours d'Utrecht cramoisi.

– Je pense, dit-il, que nous voilà bien tranquilles.

– Et bien seuls ! soupira Isabelle, à qui les larmes montèrent aux yeux.

– Mais bien tranquilles, répéta Sébastien avec plus de fermeté. Isabelle, ne pleure pas, tu aurais tort.

– Après sept années de vie commune, gémit l'excellente femme, elle s'en va tout d'un coup, comme cela.

– Sans nous regretter, Isabelle, reprit le mari, et voilà pourquoi nous serions insensés de nous faire du chagrin pour elle. Écoute-moi, ma bonne femme, continua-t-il en la regardant avec tendresse, les gens me prennent pour un vieux nigaud, un vieux gourmand, qui prise la bonne chère et ses habitudes par-dessus tout...

– Oh ! par exemple ! interrompit Isabelle indignée.

– Laisse dire les gens, continua Sébastien ; oui, j'aime la bonne chère, parce que cela ne fait de mal à personne, et j'aime mes habitudes, parce qu'elles sont pleines pour moi de souvenirs chéris, parce que chacune d'elles a eu sa raison d'être autrefois et me rappelle mille choses aimables ou douloureuses, mais qui me tiennent au cœur ; mais je ne suis pas un vieux nigaud, – non ! Camille est une fille sans cœur, qui sera une mauvaise femme, à moins que son mari ne lui tienne la bride serrée.

– Oh ! Sébastien, elle n'est pas mauvaise ! s'écria Isabelle, au milieu d'un flot de nouvelles larmes.

– Elle n'est pas méchante, mais elle est mauvaise ; elle est égoïste et orgueilleuse. Amen, ma bonne femme ; nous n'avons plus que nous deux à chérir ; tâchons d'être très heureux et de ne pas nous survivre de beaucoup, car c'est là que serait le véritable malheur !

Tous deux, émus, le cœur très plein, quittèrent la salle à manger et allèrent s'installer devant le joli petit feu de leur chambre, où, désormais, ils passeraient leurs soirées, les pieds sur les chenets ; et au bout de quelques minutes, la tante Belle fit faire un peu de thé dans la fameuse théière marquée L. P. entrelacés.

Les nouveaux époux firent une brillante apparition dans le monde lors de leur retour. La politique, un instant, a bien un peu assombri la carrière présumée de Mirmont, mais c'est un homme intelligent, qui sait se plier aux circonstances, et il a repris un nouvel essor.

Vers le milieu du carême, M. et madame Mirmont assistaient à une brillante soirée musicale donnée au ministère, lorsque tout à coup leurs yeux se tournèrent vers un couple qui attirait les regards sympathiques de l'assemblée. C'était Brécart avec sa femme. Lui aussi portait à la boutonnière un ruban rouge conquis la veille, et tous se plaisaient à dire qu'il l'avait bien gagné.

En le voyant, en voyant Claire rayonnante de joie et d'une calme fierté, bien différente de l'orgueil qui rongeait Camille, celle-ci ne put se défendre d'un mouvement de rage. Oui, Claire était une femme heureuse, elle jouissait du triomphe de son mari, non seulement avec son orgueil, mais avec sa tendresse, et voilà ce que rien, ni chagrins ni revers, ne pourraient jamais lui ravir. Madame Mirmont se tourna vers son mari.

– Emmenez-moi, lui dit-elle ; vous m'aviez promis que je ne reverrais jamais ces gens-là.

– Veuillez ne pas me contraindre à une démarche fâcheuse, répondit son mari avec un sourire aimable et une courtoisie idéale de ton et de forme.

M. Brécart est une de nos valeurs intellectuelles, je ne puis encourir le risque de m'en faire un ennemi.

– Mais vous m'aviez promis...

– Je vous ai promis de ne pas vous mener chez eux, ni de les faire venir chez vous ; je n'ai pas pu vous promettre de ne pas les rencontrer dans le monde !

Pressant légèrement la main de sa femme qui reposait sur son bras, il la déposa sur un siège et alla rejoindre la foule des amis de Brécart.

Camille commence à souffrir, car depuis lors elle se demande si elle doit continuer d'estimer son mari, et la question n'est pas agréable à résoudre. D'ailleurs, le ciel se chargera de la punir, car elle, qui déteste les enfants, sera bientôt mère, et les gens compétents se demandent si le ciel, dans sa clémence, ne lui accordera pas deux jumeaux. C'est ce que le temps nous apprendra.

Milton Keynes UK
Ingram Content Group UK Ltd.
UKHW050715181023
430769UK00009B/300